D1484521

Rostros y rastros
Entrevistas a trabajadores migrantes en Estados Unidos

COLECCIÓN INVESTIGACIONES

ROSTROS Y RASTROS
ENTREVISTAS A TRABAJADORES MIGRANTES EN ESTADOS UNIDOS

JORGE DURAND
(coordinador)

SEBASTIÁN PÉREZ GARCÍA
(auxiliar de edición)

CON LA COLABORACIÓN DE:
Martha Aguilar Orozco, Everardo Blanco Livera, Ezequiel Dávalos Faz, María Luz Dávalos Flores, Arodí Díaz Rocha, Gilberto Estrada Harris, Carlos Labastida Rojas, Guillermo López Parra Bravo, Luis Jesús Martín del Campo Fierro, Miguel Ángel Martínez Hernández, Sergio Medellín Mayoral, Israel Navarro García, María del Sol Orozco Gaitán, Sebastián Pérez García, Claudia Quezada Rodríguez, María del Pilar Rodríguez López, Francisco Javier Roldán Herrera, Francisco Sánchez de Alba, Gabriela Sánchez Soto, Yetiani Sepúlveda Moncada, Miguel Tarín López, Víctor Manuel Torres Guerra

EL COLEGIO
DE SAN LUIS

Diseño: Pablo Labastida
Fotografías: Archivo Jorge Durand

Primera edición: 2002

ISBN 968-7727-81-0

Impreso y hecho en México

ÍNDICE

Presentación 9

El Programa Bracero (1942-1964) 15
El mexicano, nomás que le pongan para que él agarre 21
La bracereada 31
El Traque 39
Mientras llega la chamba 45
Por ahí, donde anduve, ni pa' morirme 53
Migración indocumentada 67
No es llegar, estar y barrer dinero 72
Todo se me fue en la parranda 83
Es un ratito de suerte el que tiene uno 89
Fui y voy a volver a ser mojado 94
Porque nomás decían que no podía 102
Migración femenina 111
Por pobre que estés, no estás tan pobre 115
Un juego como de albur 123
Mrs. Nadia Páez 130
Migrantes de clase media 135
La tierra que me vio nacer 140
...y de ahí nació la idea 147
...pero definitivamente yo no regreso 152
De dueño a trabajador... 157
Viviendo el *american dream* 163
Esos viajes me acostumbraron a trabajar 174
En un país ajeno 182
Chicago, el sueño americano y una familia mexicana 189
Y regresé 194

Bibliografía 203

PRESENTACIÓN

Jorge Durand*

Para seguir los rastros y conocer los rostros de los migrantes que van a trabajar a Estados Unidos se requiere de un contacto personal. El estudio de la temática migratoria a través de cifras, estadísticas, reportes y expedientes siempre deja preguntas y dudas en el aire. De ahí que en los estudios migratorios se considere una tradición realizar entrevistas e historias de vida a los trabajadores migrantes.

Manuel Gamio, pionero de los estudios migratorios (1930), fue también un pionero de lo que hoy se llama "historia oral" o "historia de vida". Su libro *El emigrante mexicano. La historia de su vida*, publicado primero en inglés en 1931 por la Universidad de Chicago, luego en español, en 1969, por la UNAM y, finalmente, la segunda edición en inglés en 1971, es sin lugar a dudas el primer ejemplo de este ejercicio antropológico e histórico, en el cual lo que narra la gente común y corriente pasa a formar parte de una publicación académica.

El trabajo de Gamio no tiene las pretensiones teóricas ni metodológicas como las que hoy se discuten entre los historiadores orales (Aceves, 1993, 1996; Morin, 1993, Burgos, 1993), simplemente forma parte del extenso material de campo recopilado en su investigación, realizada a mediados de los años veinte. El análisis y la interpretación de la información de las entrevistas se encuentra en su libro *Mexican Inmigration to the United States*, publicado por la Universidad de Chicago en 1930.

Más aún, ni las entrevistas ni el ordenamiento del libro fueron tarea directa de Gamio, si bien él fue el inspirador y coordinador del proyecto. Las entrevistas, en su mayoría, las realizó un ayudante de investigación, y la edición del libro corrió a cargo del antropólogo estadounidense Robert Redfield. El texto de Gamio tiene, pues, varias manos

* Profesor investigador de la Universidad de Guadalajara y profesor invitado en El Colegio de San Luis.

y mucha historia detrás. Tanta que en la actualidad Debra Weber está trabajando en la publicación de las entrevistas completas, e incluyen las notas y apuntes que hicieron Redfield y Gamio sobre los originales.

Como quiera, la publicación primigenia en inglés, la siguiente en español, la segunda en inglés, prologada por Paul Taylor, y el actual estudio a fondo del texto y su contexto, ponen en evidencia la relevancia de un libro de esta naturaleza. Un subproducto de investigación se convirtió en trabajo de primer nivel.

De manera paralela, Paul S. Taylor, el otro pionero de los estudios migratorios entre México y Estados Unidos, quien fuera un maestro de la entrevista, y cuyos textos en la actualidad son considerados clásicos, trabajó también en la misma línea. Sus libros están tapizados de citas textuales de sus entrevistas, incluso en alguna de sus obras se transcriben entrevistas completas en forma de apéndice, porque la entrevista habla por sí sola sin necesidad de interlocutor. En efecto, se sabe que una de sus ayudantes estaba encargada de recoger historias de vida de mujeres, pero lamentablemente este material está perdido o guardado en alguna biblioteca, posiblemente entre sus papeles que se conservan en Berkeley (Durand, 2000).

En ambos casos, la metodología empleada fue de corte antropológico, es decir, la que se aprende en la práctica al realizar entrevistas. Sin embargo, en el caso de Gamio se constata que no se trataban de entrevistas abiertas, sino que existía un machote previo, un listado de los temas sobre los que estaba especialmente interesando en recopilar información: el tema religioso, las causas de la migración, el mundo laboral. No son propiamente historias de vida, son historias migratorias. Y esto constituye otro aporte de Gamio, que se interesa en la historia de vida, pero con una orientación temática.

El presente libro se inserta en esta tradición de la investigación histórica antropológica, que retoma las enseñanzas de Gamio, y se suma al trabajo realizado por Marilyn Davis en *Voces mexicanas sueños americanos* y por Jorge Durand en *El norte es como el mar*. Las entrevistas a migrantes constituyen un material de primera mano para los estudios migratorios, y nunca son suficientes para conocer y profundizar en el tema. Cada caso aporta su propia particularidad y riqueza. Cada experiencia es un mundo, cada entrevistado tiene su propio punto de vista. Son las voces de quienes no tienen documentos que los avalen, por eso mismo son las voces de los protagonistas.

De ahí que como un ejercicio escolar en la licenciatura en Estudios Internacionales de El Colegio de San Luis, se pidiera a cada uno de los estudiantes que entrevistara a una persona que hubiera ido a trabajar al norte. De este modo, las lecturas y exposiciones sobre el tema de la teoría de la emigración se podían complementar con la experiencia personal de haber entrevistado y profundizado en el tema a partir de la experiencia de los propios migrantes.

El ejercicio no sólo resultó provechoso para acreditar una materia, fue una experiencia estimulante que permitió a los estudiantes compenetrarse personalmente con la problemática y comprender, en un nivel personal y con mayor profundidad, las múltiples facetas que puede mostrar el fenómeno migratorio: éxito y fracaso, ambición y miedo, suerte e infortunio, aventura y riesgo, esperanza y desilusión.

El ejercicio permitió también evidenciar varios aspectos fundamentales del fenómeno migratorio en la región potosina: sus repercusiones en la vida cotidiana, la difusión y alcance del fenómeno y la experiencia acumulada a través de un ir y venir centenario. A nadie le resultó imposible o extremadamente difícil encontrar y entrevistar a un emigrante. La migración a Estados Unidos en la región potosina forma parte de la vida cotidiana. Todos los días sale y llega gente, parientes, amigos, vecinos de Estados Unidos. Es más, en varios casos la entrevista fue realizada a algún pariente cercano: primo, tío o abuelo; sólo en algunos se optó por la entrevista telefónica o por la Internet (*chat room*); cada quien recurrió a sus contactos y conocidos, a sus recursos o conocimientos para realizar una entrevista original sobre la experiencia y sapiencia de los migrantes mexicanos.

El resultado final aportó tal cantidad de información y riqueza de matices que se planteó la posibilidad de seguir adelante y mejorar aún más el trabajo. En un segundo trimestre se volvió sobre el tema de la entrevista y se recomendó interrogar, de nueva cuenta, al migrante para completar y ampliar la información. Sólo en pocos casos se optó por cambiar de informante.

La idea de una publicación se había puesto en marcha. Pero todo libro conlleva una serie de tareas y obligaciones. Más aún un libro colectivo. Cada quien tuvo que redactar una pequeña introducción de la entrevista, ejercicio fácil en apariencia, pero que demostró tener más bemoles de los que se pudiera pensar. La presentación debía señalar de manera muy sintética los puntos nodales de la entrevista y, a la vez, poner de manifiesto una interpretación analítica de cada uno de los casos.

Este ejercicio puede parecer extraño en un curso de Teoría Migratoria, pero precisamente se trataba de aplicar la teoría, o las teorías, a la realidad concreta, al caso particular de cada migrante. De nada sirve teorizar si a la hora de la verdad las diversas corrientes de análisis no pueden explicar la realidad. Por otra parte, el ejercicio se complementó con un esfuerzo personal y de equipo por situar al migrante en su contexto histórico. No es lo mismo entrevistar a un bracero de los años cuarenta que a un joven que acaba de llegar del norte. De ahí que se tomara la decisión de agrupar temática y cronológicamente el conjunto de entrevistas en cuatro grandes secciones: braceros, indocumentados, migración femenina y migración de clase media. Cada una de estas partes está precedida de una pequeña introducción temática que fue el resultado de trabajos personales y, finalmente, del trabajo en equipo. A su vez, cada entrevista está precedida de una introducción realizada por el entrevistador, donde da cuenta del contexto y lo más relevante de la entrevista desde el punto de vista analítico. En este sentido, se hizo el esfuerzo por contextualizar el momento o periodo sobre el que el migrante narra su experiencia y por analizar los aspectos más relevantes de la entrevista que tuvieran que ver con las discusiones sobre teoría de la migración.

Además de la riqueza que proporciona cada caso, el texto se aventura en dos temáticas consideradas clásicas en los estudios migratorios: la etapa de los braceros y los indocumentados; y dos problemáticas que hasta el momento han sido poco estudiadas: la migración femenina y la de sectores de clase media.

Las entrevistas a braceros nos sitúan en el contexto histórico de la migración mexicana a Estados Unidos. Si bien la migración se inició a finales del siglo XIX, en la actualidad quedan muy pocos sobrevivientes de la primera época, de ahí que se privilegiara a los migrantes que se fueron en la etapa de los braceros (1942-1964). A partir de cinco entrevistas, el lector podrá adentrarse en esta época y vislumbrará por qué los contratos braceros constituyeron un momento culminante de la migración mexicana, cuando cerca de cinco millones de personas participaron activamente. Uno de los casos narra la experiencia de un migrante que participó en el Programa Bracero Ferrocarrilero, de corta duración, pero que tuvo especial importancia en San Luis Potosí.

Después de los contratos braceros vino la fase de la migración indocumentada. A lo largo de dos décadas (1964-1986) varios millones de mexicanos cruzaron la frontera de manera subrepticia y encontraron trabajo en Estados Unidos. Las cinco entrevistas de este apartado evidencian la manera en que Estados Unidos ejerció el control fronterizo en esa época, dejando pasar a aquellos trabajadores que el mercado de trabajo demandaba y expulsando a los sobrantes. El mercado de trabajo estaba mediado por el "coyote", personaje singular con el cual los migrantes tenían que tratar y lidiar. Fueron tiempos en los que ser indocumentado acarreaba un sinnúmero de problemas, pero la vida no se ponía en riesgo, como sucede ahora.

Por su parte, la sección en la que se agrupan las entrevistas a tres mujeres migrantes ofrece materiales inéditos y un punto de vista nuevo sobre la problemática migratoria femenina, que había sido clausurada durante el Programa Bracero, pero que empezó a repuntar en los años setenta y ochenta, y se volvió masiva a finales del siglo XX. Hoy la migración femenina está plenamente integrada al mercado laboral norteamericano, y su aporte al flujo migratorio alcanza 40 por ciento. Como quiera, la migración femenina tiene su propia especificidad, en la cual el mundo familiar cobra una relevancia no observada en el caso de la migración masculina. Por otra parte, a través de las entrevistas se constata que en la actualidad es mucho más fácil conseguir trabajo para las mujeres que para los hombres, lo que parece señalarnos el rumbo de la migración mexicana en el futuro y, por tanto, el camino que debe seguir la investigación.

Por último, las entrevistas a migrantes "clasemedieros" constituyen un primer material de campo para empezar a discutir un tema inédito en la literatura migratoria mexicana, en la cual ha primado, de manera casi absoluta, el análisis de la migración de sectores populares, obreros y campesinos. El caso de los migrantes provenientes de la clase media, originarios de San Luis Potosí y otras regiones del país, permite al lector introducirse en esta nueva problemática, en la cual la crisis económica ha empezado a desempeñar un papel protagónico, muy particularmente entre los jóvenes que han visto cortadas sus ilusiones, han tenido que reducir su nivel de consumo y replantear sus expectativas personales.

El trabajo general de edición del presente texto recayó en el culpable de esta aventura: Sebastián Pérez García, quien tuvo la idea original de incluir una entrevista en su trabajo final del curso de Teoría

Migratoria. Posteriormente, él se encargó de poner en orden los archivos, perseguir a los morosos e imprimir la versión final. Las fotografías incluidas en cada uno de los apartados fueron parte de un esfuerzo colectivo que estuvo coordinado por Gilberto Estrada.

La corrección de estilo y la revisión general del texto se debe a Adriana del Río Koerber, quien retomó cada una de las entrevistas y trabajó de manera personal con cada uno de los entrevistadores. En todas las entrevistas se respetó la versión literal y el habla particular de cada uno de los entrevistados. El trabajo de edición se abocó fundamentalmente a la correcta puntuación y a proponer cierto orden a la entrevista, para darle coherencia e ilación al conjunto del trabajo. En casi todos los casos, el entrevistador quedó en segundo plano, las preguntas quedaron implícitas a lo largo del texto.

Finalmente, el libro pudo hacerse realidad debido a la cooperación y entusiasmo de Cecilia Costero, coordinadora de la licenciatura en Relaciones Internacionales; con el apoyo personal e institucional de Lydia Torre, secretaria administrativa; con la venia y bendición de María Isabel Monroy, secretaria académica, y con el apoyo incondicional, para todo esfuerzo que se salga de lo común, que aporta Tomás Calvillo, presidente de la institución y de esta novel y noble casa editorial.

El Programa Bracero (1942-1964)

Gabriela Sánchez Soto
Francisco Javier Roldán Herrera

Tener una pulgada de callosidades era la mejor recomendación

La migración mexicana a Estados Unidos ha sido objeto de política pública, tanto para sucesivos gobiernos mexicanos como para diversas administraciones estadounidenses, en la búsqueda por dar un lugar dentro de la relación bilateral a la realidad incuestionable del fenómeno migratorio entre México y Estados Unidos.

En muchas ocasiones, las diversas administraciones estadounidenses han abierto las puertas a flujos temporales de mano de obra, y han relajado discrecionalmente los controles y vigilancia de sus fronteras al paso de migrantes autorizados y no autorizados. No obstante, sólo en pocos momentos han existido acuerdos formales entre México y Estados Unidos para la reglamentación o el manejo conjunto de este fenómeno (Alba, 1999).

Esta parte del libro está dedicada a los braceros que constituyeron un importante y singular flujo migratorio que resultó ser un parteaguas en la historia de la migración mexicana a Estados Unidos.

La Segunda Guerra Mundial dio a los mexicanos la oportunidad de obtener trabajo del otro lado de la frontera gracias al reclutamiento de muchos estadounidenses en el ejército. México aportó trabajadores para la agricultura y, posteriormente, para el mantenimiento de vías férreas y el trabajo en las minas. Esta cooperación concretó un acuerdo entre los gobiernos de México y de Estados Unidos que se llamó Programa Bracero.

La importancia de este programa radica en que por primera vez Estados Unidos estuvo dispuesto a establecer un acuerdo bilateral para la importación de trabajadores mexicanos. Dicho acuerdo fue necesario debido a que aún estaba abierta la herida de las deportaciones masivas efectuadas en los años veinte y treinta. El programa era novedoso y ambicioso, y tenía la peculiaridad de ser una propuesta específica del gobierno de Estados Unidos a la que el gobierno mexicano accedió después de una exitosa negociación.

Este convenio bracero fue el primer esfuerzo por pensar la relación y la problemática migratoria entre ambos países desde su especificidad y no desde planteamientos generales aplicables a todos los flujos migratorios. Las negociaciones iniciaron el 1 de junio de 1942, y los primeros trabajadores mexicanos inscritos en el programa cruzaron la frontera ese mismo año (Durand, 1998).

Esta etapa migratoria comenzó "bajo un signo de contradicción", ya que, por un lado, se necesitaba mano de obra, pero, por otro, muchos estadounidenses no estaban dispuestos a cambiar sus actitudes racistas y discriminatorias hacia los mexicanos. Por lo tanto, México exigió que los contratos garantizaran buenas condiciones de trabajo a sus nacionales.

Cada contrato del Programa Bracero estipulaba el salario que recibiría el trabajador, el pago de pasaje de regreso, una vivienda adecuada y facilidades para alimentación. Las contrataciones se hacían, primero, en la capital, después en los estados o en la frontera, aunque el gobierno mexicano buscó que sólo se hicieran en el interior del país para ejercer mayor control de la situación. Miles de hombres buscaban trabajo; tan sólo en la ciudad de México, en 1943, había 20 mil hombres esperando ser reclutados (Durand, 1998).

El Programa Bracero supuso un cambio drástico en el perfil de los migrantes; los nuevos trabajadores debían ser hombres jóvenes, de origen rural, con la fortaleza y las habilidades que les permitieran incorporarse de inmediato al quehacer agrícola; era un trabajador temporal contratado para desempeñar tareas de índole estacional propias de la agricultura, lo que suponía el retorno a su lugar de origen una vez terminado el trabajo.

Entonces, puede decirse que en esta etapa se buscaba que cumplieran cuatro requisitos básicos: masculinidad, legalidad, ruralidad y temporalidad. Todo esto era contrario a lo ocurrido durante el siglo XIX y principios del XX, cuando el flujo era familiar, sin definición legal, por periodos más largos, disperso geográfica y sectorialmente (Durand, 1998).

En 1943 se propuso la realización de un programa similar que contratara trabajadores mexicanos para los ferrocarriles y las minas. A diferencia del plan agrícola, el ferrocarrilero llegó a su fin en agosto de 1945, y en él participaron cerca de 55 mil mexicanos.

Pero no todo era miel sobre hojuelas; si bien, en teoría, los contratos debían ser cumplidos, en la realidad los obreros mineros y ferroviarios estadounidenses ganaban salarios mucho mayores a los de los mexicanos, aunque realizaran el mismo trabajo; y respecto a la agricultura, el problema surgió porque muchos trabajadores indocumentados tuvieron oportunidad de entrar a Estados Unidos y trabajar de manera paralela a los braceros contratados (Durand, 1994).

La corrupción fue otro aspecto por el cual entró en crisis el programa. En un momento dado, muchos braceros querían ser inscritos, lo que propició que los encargados de elaborar las listas de contratación cobraran por asignar lugares, lo cual generó expectativas inmensas y fomentó la migración indocumentada.

En el segundo lustro de 1940 quedó claro que el deterioro de la condición rural mexicana generaba migrantes que escapaban a la lógica y la demanda del convenio, situación que suscitó el surgimiento y crecimiento del número de migrantes indocumentados. De esa manera, ocurrieron dos corrientes migratorias simultáneas; la legal, de los braceros, y la ilegal, de los indocumentados.

El bracero tenía algunas ventajas, como no pagar "coyote", evitar riesgos y ahorrar parte de los costos de su estancia en Estados Unidos; mientras que el indocumentado podía prolongar su estancia y seleccionar empleos mejor remunerados; estas razones promovieron notablemente la migración indocumentada.

En la década de 1950, Estados Unidos se involucró en la Guerra de Corea, lo cual hizo necesaria, de nueva cuenta, la mano de obra mexicana. En esa época, la migración indocumentada se había convertido en un problema grave, y se promulgaron leyes para intentar resolverlo. Esta situación derivó en conflictos en las negociaciones entre ambos gobiernos, y en 1954 causó el rompimiento del convenio durante un mes. A raíz de esto comenzaron las deportaciones masivas de indocumentados, en una operación llamada *Wetback*; pero también salieron trabajadores contratados con el pretexto de que la guerra había terminado y requerían puestos de trabajo para los estadounidenses que regresaban (Durand, 1994).

En 1963 se hizo una enmienda al programa, que estipulaba que los trabajadores no podían quedarse más de seis meses. Con la introducción de la cosechadora mecánica y debido a la abundancia de mano de obra indocumentada y estadounidense, la mano de obra mexicana ya no era tan necesaria, Estados Unidos se negó a renovar el programa; los contratos terminaron en 1964.

Fueron años de duro trabajo, pero también de angustia y muchos sufrimientos. Los mexicanos fueron víctimas de todo tipo de abusos y agresiones no sólo cometidos por patrones explotadores y autoridades racistas, sino también por grupos blancos extremistas.

El Programa Bracero implicó la importación de aproximadamente 4.6 millones de trabajadores durante 22 años –y casi la misma cantidad de indocumentados–, y a pesar de que el programa terminó en 1964, la migración mexicana a Estados Unidos no se detuvo, simplemente se transformó de una práctica regulada por un convenio a una que combinaba un poco de migración documentada con un flujo masivo de migración indocumentada (Durand, 1999).

El MEXICANO, NOMÁS QUE LE PONGAN PARA QUE ÉL AGARRE[1]

Claudia Quezada

Siempre supuse que mi abuelo paterno tendría muchas historias que contar. No obstante, me conformaba con escucharlo en conversaciones en las que yo no participaba. Me limitaba a advertir en sus numerosas anécdotas el dejo arrogante que le caracteriza, a imaginar su juventud ambiciosa y a hacer conjeturas sobre los pasos que dio para llegar a ser ese patriarca que hoy dirige un ejército de hijos y nietos en una de las más importantes fábricas de uniformes escolares en Saltillo.

Me enteré de los varios trabajos que desempeñó en la vida; supe de sus tiempos de cantante en la ciudad de México, de sus andanzas como panadero y como vendedor de electrodomésticos. También llegué a saber de cuando tuvo una tienda Conasupo y de cómo, finalmente, empezó con lo de los uniformes.

Asimismo, escuché alguna vez que en su juventud había sido bracero, en los tiempos de la Segunda Guerra Mundial, cuando él tenía veinte años de edad y estaba recién casado con mi abuela, que en ese entonces no tendría más de catorce, según dicen.

Entonces, las preguntas comenzaron a surgir: ¿dónde, abuelo?, ¿cuándo?, ¿por qué? A pesar de lo que se hubiera podido creer, fue complicado lograr que se le quitaran los nervios a don Carlos Quezada. Creo que nunca habíamos platicado de tantas cosas ni durante tanto tiempo. Fueron varias horas de charla, y creo que disfrutó recordar esa época que para él fue una de las mejores, en definitiva.

Esta historia ilustra perfectamente las características primordiales del Programa Bracero, puesto que en la experiencia de don Carlos pueden comprobarse cuestiones tales como que la migración era de hombres solos, cuyas edades oscilaban entre los 20 y los 54 años, y cuyos

[1] Entrevista grabada el 3 de diciembre de 2000 y el 11 de febrero de 2001, en la ciudad de Saltillo, Coahuila.

niveles educativos y culturales eran superiores respecto a muchos que posteriormente migraron. Muestra también que gran número de mexicanos no padecieron discriminación y, a pesar de ello, nunca volvieron al campo estadounidense. Tuvieron la posibilidad de hacer del trabajo en Estados Unidos una forma permanente de vida y, no obstante, prefirieron encontrar el camino en su propia tierra.

Su experiencia es muy especial, puesto que vivió los inicios del Programa Bracero en el estado de Washington, donde había muy pocos mexicanos y las tendencias discriminatorias aún no se desarrollaban. Su experiencia breve, de no más de ocho meses, fue beneficiosa y gratificante, como él mismo la define, llena de experiencias y buenos recuerdos que evidencian una etapa de bonanza, de grandes oportunidades para obtener ingresos que le permitieran una mejor situación económica en su país.

Sintió la nostalgia natural por estar lejos de su hogar, y padeció las fatigas normales, pero no tuvo que sufrir las angustias de ser indocumentado o sentirse fuera de la ley. Sin embargo, presenció los inicios de la crisis de los trabajadores mexicanos en Estados Unidos, la cual atribuye al mal comportamiento de esos mexicanos.

* * *

Yo nací en una ranchería llamada Llano Grande, Jalisco, en 1924. De ahí, después de dos años, emigré con mi familia a Nochistlán, Zacatecas, ahí permanecí hasta la edad de once años, y nos fuimos inmediatamente a la ciudad de Zacatecas, ahí hice estudios primarios, secundarios, y me fui a México en busca de mejores oportunidades, ya que era un joven, para entonces, de diecinueve o veinte años. Quería ser cantante. De ahí, pues, me pasó lo que a todos los jóvenes: me enamoré de una mujer, me casé con ella y tuve que hacer lo que un hombre con obligaciones: todo lo posible para formar un verdadero hogar.

En el año de 1945 hubo un movimiento de contratación de braceros. Un contrato, pues, parece que fue cerrado entre los dos países, tanto Estados Unidos como México, para aportar personal de mano de obra y trabajadores del campo; casi en su mayoría eran trabajadores agrícolas, de toda la República mexicana, pero en ese entonces yo estaba en Zacatecas; me había ido yo de México a Zacatecas. Y, bien, pues vi que la euforia era grandísima; todo mundo quería ir a Estados Unidos, y me di cuenta de que era una oportunidad muy buena para poder, pues, hacerme de recursos, toda vez que estaba recién casado, y bien tuve la oportunidad de contratarme para ir a Estados Unidos como trabajador agrícola, porque al venirme de la ciudad de México a Zacatecas estaba desempleado, y debía buscar la manera de hacerme de recursos para empezar una vida matrimonial.

Pues bien, inmediatamente recurrí a las oficinas de contratación; había muchísima gente tratando de contratarse como trabajador para Estados Unidos, y tuve la fortuna de llenar los requisitos no obstante que la edad eran 21 años mínimo, y yo, pues, tenía 20. De todas maneras, quedé contratado. El requisito era primeramente tener experiencia como trabajador del campo y buena salud, desde luego; eran los requisitos fundamentales, pero había otros más. No había mucha corrupción, porque los que nos escogían eran de los mismos gringos, aunque realmente yo engañé a los doctores y todo, por las manos tan suavecitas que tenía; tomé cal y me restregué las manos hasta que salieron callos, y de esa manera pude convencerlos de que era un hombre de campo.

Salí contratado, afortunadamente, y nos remitieron a la ciudad de Irapuato, que en aquel entonces era el centro de contratación; nos hicieron un examen médico, nos tomaron fotografías, y escuché mi nombre entre los aceptados. Luego nos pidieron que abordáramos el tren que nos iba a conducir a toda la Unión Americana para regar en todas las ciudades de Estados Unidos el personal que llevaba dispuesto para el trabajo. Salían trenes cada ocho días con dos mil trabajadores, más o menos.

Después de ocho días de recorrido en tren, nos pasó una cosa. Nos daban la cena a las siete de la noche; eran buenos alimentos. Los cocineros eran chinos y negros. Me acuerdo muy bien que esa noche nos dieron de cenar, muy rico por cierto. Como a la hora de haber cenado, era un corredero de todos al baño. ¿Por qué? Pues porque querían que todos los que llegáramos a los centros de trabajo, con nuestros patrones, llegáramos limpios del estómago. Todos a la corre y corre por donde quiera, y los gringos a risa y risa.

También, aparte de eso, teníamos que desnudarnos, y ver que no padecíamos hemorroides ni ninguna enfermedad. Cuando pasamos por la frontera nos pusieron polvos en el cabello para matar piojos, a todos nos llenaron de esa cosa; claro que había muchos con piojos, y había muchos sin piojos, entre esos muchos sin piojos estábamos dos maestros, un ingeniero y yo. Entre los que tenían piojos estaban dos campesinos que llegaron al mismo lugar que me destinaron, muy pobres, sus pantalones viejos todos remendados, parchados, sombrerito de paja todo roto, caído hasta los hombros, muy jóvenes también. Los maestros tenían 22 o 23 años uno, y el otro 28; el ingeniero tenía como 30.

Total, pues, empezaron a dejar a la gente. Después de pasar en el tren trece días, me tocó ser del último grupo que dejaron en Wannachee, de unos diez o quince mil habitantes. Éramos los seis trabajadores de los que ya hablé: los dos maestros, el ingeniero, los campesinos y yo. Fuimos los últimos; nos extrañaba que nomás no nos bajaban a nosotros, creíamos que se les había olvidado que ahí íbamos, hasta que llegamos a Wannachee. Yo creo que nos habían observado, nos habían notado la cultura, la capacidad y todo eso.

Llegamos con el señor John Welch, quien era el patrón. Ahí nos enrolamos para el cultivo y manejo de árboles frutales. Había manzanos, durazneros, perales y chabacanos, básicamente. Yo llegué, en aquel entonces, el 13 de mayo de 1945. Me quedé ahí ocho meses. Los contratos eran por seis o 12 meses, si queríamos. Aquella persona que podía cumplir sus obligaciones de trabajo adecuada y satisfactoriamente recibía muchos ofrecimientos de seis o 12 meses, hasta 12 contratos de seis meses, o sea seis años. Incluso, llegaron a la ciudad donde nosotros estábamos requerimientos de gentes, empresarios de Inglaterra que nos proponían continuar nuestros contratos en su país.

En aquel entonces la hora se pagaba a 1.20 dólares y a veces a 80 centavos. Me parece que el contrato estipulaba que la hora se pagaría a 80 centavos de dólar. La jornada de trabajo era de ocho horas, pero luego hubo un ajuste y empezaron a pagar sobre 1.20. Ocho horas eran como diez dólares diarios. Cuando se vino la cosecha, ya era a destajo: aquel que reuniera tantas medidas de pizca recibía un donativo; además, por tantas cajas o tantos cajones daban dos o tres dólares adicionales. Entonces llegamos a ganar hasta 25 o 30 dólares al día, pero eso era momentáneo, fue casualmente un mes, el de septiembre u octubre. De ahí ya se terminaba el contrato, y nos hicieron saber que si queríamos permanecer más tiempo, podíamos hacerlo, es decir, renovábamos contrato. Sin embargo, yo en aquel entonces, recién casado, dejando a mi esposa en casa de mis padres y embarazada, pues tenía que regresar con ella.

El capataz se llamaba John Soule, un alemán gordo, muy trabajador y amable. Cuando salíamos de trabajar, como a las seis de la tarde, nos poníamos a hacer alguna cosa de ejercicio, y nos gustaba mucho hacer saltos de longitud, de altura, y yo era muy especial para eso, a velocidad o a pie firme les ganaba a todos. Una vez llegó el chaparro alemán, anchote, nos hizo la señal de que quería participar; todos, pues, puro vacile. Hizo dos o tres veces un balanceo, y me ganó; ya no quiso brincar otra vez. Nos contó que él había sido campeón cuando era joven y tenía pocos años de haber huido de Alemania; ahí había sido entrenador de los de la GESTAPO, pero cuando empezó la guerra decidió salirse con toda su familia. Tendría unos cuarenta años.

Teníamos que hacer los trabajos de campo: tratar los árboles frutales mediante riegos y fertilizantes. Hacía mucho calor a veces; nosotros dejábamos caer una plumita y caía derechito, sin nada de aire que la moviera; también rompíamos huevos en la tierra, y cuando regresábamos ya estaban bien cocidos. Pero ya para noviembre se venían las heladas, y ahí estaba todo el mundo, hasta el gerente de la JC Penney, que dejaba la oficina y se iba a ayudar a que no se congelaran los árboles. Cuando ya el fruto se vino fuerte, entonces ya vino la cosecha, y de la cosecha nos pasaron a unos frigoríficos en la ciudad de Wannachee. En esos frigoríficos se trataban puras frutas, sobre todo manzanas, porque la región era evidentemente manzanera.

El ambiente era formidable; nos trataban perfectamente bien, podríamos decir con mucho respeto, mucha consideración. Nos daban todo lo necesario: pantalones, camisolas, botines de trabajo y unas habitaciones muy, muy buenas. Además, podíamos salir libremente los domingos. Casi no había mexicanos por ahí. Estábamos solamente a hora y media para ir al Canadá, entonces, de a tiro ya más al norte de Estados Unidos.

Fue una experiencia muy hermosa. Algunas gentes que conocimos allá, norteamericanos, iban por nosotros los sábados para llevarnos a los oficios religiosos, y nos invitaban a sus casas para departir y compartir con ellos algunas horas, alimentación y demás. Les gustaba estar con nosotros. Yo, en particular, tenía tres o cuatro automóviles esperando que dieran las doce del día sábado para que terminara mi labor; me invitaban a sus casas, y de ahí me llevaban todo el sábado hasta el domingo por la tarde, que ya me regresaban a mi centro de operaciones de trabajo, y así era semana tras semana.

Conocimos mucha gente, mucho muy amable, respetuosa, cariñosa, y eso para nosotros fue una experiencia grandísima, pero se truncó poco a poco aquello porque empezaron a llegar más braceros ya con un nivel educativo quizás muy bajo, porque eran muy tomadores, hacían cosas y cosas en la calle... tomaban sus botellas y andaban por ahí haciendo escándalos y todo; para nosotros era vergonzoso todo aquello. Hicimos toda la labor posible en la Work Food, la organización de trabajo a la que pertenecíamos nosotros, y los señores de ahí, pues, escucharon, desde luego, nuestras opiniones de que retiraran lo antes posible a personas que no eran compatibles con el criterio de buenos mexicanos que habíamos expuesto nosotros en aquel entonces.

Después de la Segunda Guerra Mundial, los Estados Unidos quedaron devastados por la cantidad de gente que se perdió en la lucha, por consiguiente el campo estaba abandonado; había poca gente, pocos dueños, solos, abandonados, porque muchos de ellos habían perdido a todos sus hijos en la guerra. Tanto que, por esa causa, cuando yo llegué a Estados Unidos, un matrimonio de campesinos, de muy buena posición, encontraron en mí un apoyo, una ayuda; me hacían ofrecimientos, que me fuera a trabajar con ellos porque sentían un apoyo en mí, un muchacho joven con mucho parecido físico con uno de sus hijos, y por eso me hacían muchas invitaciones y todo. Era un matrimonio ya avanzado de edad, digamos de unos 50 años o más, que había perdido en la guerra a sus dos hijos; entonces, se acordaban de ellos conmigo, y por eso se desbarataban en atenciones.

Cuando llegué a Estados Unidos se acababa de terminar la guerra hacía unos meses, por eso es que nos contrataron y siguieron los contratos vigentes y acudía mucha, mucha gente; pero se fue deteriorando de tal manera aquello que después ya se empezó a hacer trampa. Hubo muchos cambios después. No sé qué pasaría entre los dos países, hasta dónde era el contrato de aportar trabajadores agrícolas a los campos de Estados Unidos.

Me llegó un comentario de que el general Ávila Camacho, Manuel Ávila Camacho, entonces presidente de la República, le pregunta a Lázaro Cárdenas: "Oye, ¿cómo voy a mandar gente? No saben hablar inglés ni nada. ¿Qué? ¿Cómo le hago? Fíjate, me piden puros trabajadores del campo, y los trabajadores del campo creo que ni siquiera hicieron escuela de nada; algunos y cumplirán con primer año de primaria, a lo mucho. ¿Qué voy a hacer?" Y contestó Cárdenas: "Mándalos. El mexicano, nomás que le pongan para que él agarre. Donde haya, nomás que le den, él agarra". Eso decían como comentario y se publicó como chiste.

Pero bueno... al final, el patrón nos dijo que habíamos sido el mejor grupo, que no dudáramos en regresar; nos recomendó que antes de irnos hiciéramos convenios para volver a trabajar ahí; pero de ese grupito, de seis que éramos nadie volvió.

El avance de aquel entonces de toda la gente que fue a Estados Unidos fue muy, pero muy positivo; los dos maestros se convirtieron en comerciantes, el ingeniero llegó a ser un alto funcionario o socio de unos embutidos que se llamaban El Toro; son muy exitosos todos ellos. Los campesinos compraron ranchos y casas; ellos siempre fueron muy celosos con el dinero y siempre lo guardaban, pero yo creo que no sabían cómo mandarlo. Una vez, me acuerdo que nos sorprendieron porque, después de que andaban todos andrajosos, cuando menos acordamos se fueron a la ciudad y se compraron trajes de buen vestir, sombreros Tardán; venían elegantísimos de todo a todo, irreconocibles.

Los maestros y el ingeniero mandaban el dinero igual que yo, por giro o por carta, porque entonces se podía; todavía era respetado el dinero. No íbamos de aventura o a ver qué pasaba; el propósito era firme: sacar dinero, porque el salario mínimo en México era de dos pesos y cincuenta centavos al día.

De ahí, el día 15 de noviembre nos hicieron volver a nuestra ciudad de origen. Entregamos; fuimos todos muy tranquilos en nuestro tren, no hubo contratiempos; llegamos a la frontera, entregamos nuestro pasaporte, el contrato de trabajo, y llegamos de vuelta a nuestro hogar. El día que llegué, mi mujer de la sorpresa dio a luz a la primera bebé, fue tanta la emoción que se le vino el parto. De ahí, pues claro está, mucho gozo, mucha alegría por haber regresado de tan lejos, desde donde se veía lo difícil que era volver.

La verdad eran muy tentadoras las ofertas que nos hacían allá, trabajar en Inglaterra, incluso en Canadá, pero ya uno, estando tan lejos de su país, siente una nostalgia inmensa, y más si no tienes contacto con los seres queridos, con la familia, ni con las costumbres. Se anhela mucho poder comunicarse en el idioma en el que la vida se desarrolla normalmente, y era imposible porque no teníamos tiempo de estudio para aprender inglés; sólo unas palabras, de trabajo sobre todo, son las que aprende uno pronto, pero no una conversación abierta, no para entablar una plática que te brinde conocimientos del idioma.

Algunas gentes se interesaban por ayudarnos, pero eran muy esporádicas las veces. Para un mexicano fuera del país amado y de las costumbres, lejos de una forma de vivir, es muy trágico, muy duro, encontrarse de pronto con algo tan diferente y distinto, por eso estábamos tan anhelantes de poder regresar pronto a nuestro país y disfrutar de esa libertad y forma de ser nuestra, a pesar de tantos ofrecimientos tentadores que por allá nos hacían.

De todas formas, me tocó allá una situación hermosa, podría decirse, porque todo el contacto que teníamos con los norteamericanos era muy benigno, y una relación muy humana. Claro, después supe, por comentarios de compañeros que habían estado en Texas y en California, que se habían modificado muchas cosas; se quejaban de maltrato, de racismo y de discriminación. Nosotros, cuando íbamos a la ciudad, nunca vimos algo, algún letrero que evitara que blancos y negros o latinos y gringos estuvieran juntos. Ya para venirnos, empezamos a ver en peluquerías, centros y todo letreros que decían *no color people*, no gente de color, y a veces también *no mexican*, por el mal comportamiento de aquellos trabajadores que hacían cosas indebidas; entonces la gente empezó a darse cuenta de que había que seleccionar a las personas. Yo nunca sufrí una cosa de esas, para nada, sino que todo lo contrario, como ya dije, me buscaban mucho; era un joven bien parecido, de 20 años, y siempre me trataron muy bien. Pero no nomás a mí, los que llegaron conmigo tampoco sufrieron nunca ninguna discriminación ni humillación, porque siempre nos dimos a respetar, además de que nuestro trabajo era muy bueno y eso hablaba por nosotros.

Siempre me ofrecieron que volviera de inmediato, que viniera por mi esposa y que me quedara allá y todo. Allí precisamente hay algo que yo valoré demasiado: las oportunidades en México son amplísimas, nada más que uno está metido en algo, en una costumbre que no nos deja avanzar. Pero yo allá noté que las oportunidades que había en México eran brillantes siempre, que hacía falta ser audaz, que hacía falta tener la entrega en el trabajo y la responsabilidad, nada más. Y eso es un escaparate para todo ser humano.

Allá yo veía que solamente era en términos de horas, allá no te regalan minutos de nada; entras tú, marcas tu tarjeta y es lo que tú ganas, y si te ven flojear, inmediatamente te llaman la atención, y si te ven trabajador, al contrario, se esfuerzan más por darte alguna ayuda, algún reconocimiento, y eso es avance. Pero en México no tenemos eso de que nos estén censurando horario ni nada, pero, entonces, el hombre debe de formarse sus horarios, el que quiere avanzar en la vida.

Yo veía que lo mismo era ganar aquí que en Estados Unidos. Qué tantos eran los 10 o 12 dólares que podía ganar en aquel entonces; el dólar se pagaba a cuatro ochenta. Y aquí una buena oportunidad significaba ganar igual o más. Para todo se requiere, desde luego, un nivel de conocimientos, cultural, de preparación, pero el hombre se busca los niveles. Porque el que quiere aprender, aprende rápido; el que va a trabajar a una empresa y empieza a flojear no aprende nunca. Entonces oportunidades en México había suficientes, había muchísimas.

De allá para acá yo llegué a Zacatecas, y dije aquí en Zacatecas no hay fuentes de trabajo, vámonos a la ciudad de México nuevamente, y entré a trabajar inmediatamente como gerente de panificadoras, y de allí trabajé veinte años, como gerente, y yo era un muchacho, un joven. En aquel entonces no se estilaba que gente mexicana ocupara cargos en panificadoras, y de allí trabajé veinte años, como gerente, y yo era un muchachito, un joven. El dueño era español, el gerente era español, solamente los empleados de mostrador eran mexicanos. Entonces, darme a mí un cargo de gerencia... yo fui de los primeros mexicanos encargados de panaderías; significaba hacer frente a todo, pero a todo el movimiento de las panificadoras. El dueño nunca se aparecía; el encargado o gerente tenía que resolverlo todo. Y ahí estuve veinte años.

Esos años fueron catastróficos en mí porque ahí dejé toda la juventud en puras desveladas; se dormía tres, cuatro horas, cuando mucho. Después de esos veinte años, me dije que no podía seguir adelante; me fui, entonces, a un consorcio norteamericano donde se requerían personas capaces, con determinación al trabajo pleno. Y ahí conocí personalidades muy importantes, de mercadotecnia sobre todo, y ellos me enseñaron que el hombre es como una locomotora, que no lo detiene nada cuando tiene el propósito y la firmeza de hacer algo en la vida. Eso fue para mí mucho muy benéfico. El que hace su trabajo con gusto y con placer, no importa de qué color sea; el trabajo, cuando se hace con esa firmeza, siempre logra los mejores resultados.

Desde niño valoré el esfuerzo del ser humano. Me gustaba salir a ganar un centavo; lo que fuera, cortaba el pasto y lo vendía, podía salir a vender pan, chicles, cerillos; todo era ganancia. El hombre, cuando empieza de esa manera, sabe que el trabajo le va a gustar, porque lo hace con agrado. Cuando el trabajo se hace con agrado siempre es muy bien pagado. Hay que tener una apreciación del carácter humano para poder establecer una relación con la demás gente; si tienes una buena relación con todo el mundo, entonces valoras; hay que valorar a todos. De esta manera tú sales ganando gente. Algunos trabajadores son muy rústicos, pero hay que comprenderlos y, además de comprenderlos, hay que ganarse el afecto y, además del afecto, hay que saber ganarse su esfuerzo, y valorar ese esfuerzo.

Yo ya no era un empleado cualquiera, ya era un gerente. De ahí, yo supe que podía avanzar en la vida de otra manera, y empecé a buscar qué era lo que podía hacer yo que me diera lo suficiente para sostener diez hijos y darles alimentación y educación. Tenía que hacer el esfuerzo para que en lugar de ganar centavos ganara pesos, y si en lugar de pesos, dólares, pues qué bueno, y si en lugar de ganar dólares ganara miles de pesos, pues, qué mejor todavía. Entonces el trabajo que abordé posteriormente fue el de la venta de uniformes escolares.

El esfuerzo del hombre por vender pepitas es el mismo esfuerzo que puede hacer para vender automóviles o bienes raíces, donde le van a dar mucho más y pagarán su esfuerzo con creces. Es lo mismo vender chicles, dulces, barrer calles o hacer trabajos de albañilería; se hace mucho esfuerzo, y cuánto se gana, pues muy poco. Entonces hay que saber valorar el esfuerzo de uno y demostrar que tu esfuerzo cuenta mucho y vale más. Esa es la manera de avanzar.

La bracereada

María del Pilar Rodríguez López

Don Gonzalo Salazar[1] nació el 10 de enero de 1931, en el número18 de la calle Manuel José Othón, en Santa María del Río, San Luis Potosí. Su papá era profesor de primaria; no obstante esto, don Gonzalo jamás aprendió a leer ni a escribir; únicamente, como él dice, contaba con la inteligencia que Dios le había dado y, de esa manera, pudo aprender a hacer cuentas y a ser astuto para que nadie se aprovechara de su ignorancia.

Su infancia transcurrió en el campo ayudando a su padre y hermanos a hacer producir la tierra; sin embargo, las oportunidades no eran lo suficientemente buenas para que la familia Salazar saliera adelante. Con el tiempo se tornó más difícil la cuestión económica, y en el pueblo se comenzó a correr la voz acerca de las oportunidades para ir a trabajar a Estados Unidos.

Fue entonces cuando don Gonzalo, en 1953, decidió inscribirse como un bracero más en el programa que le daría la oportunidad de brindarle a su familia progreso económico y adquirir parcelas que son su patrimonio actual, del cual comen y se enorgullecen. Esta experiencia lo llevó, al paso de los años, a emprender alrededor de doce viajes más a Estados Unidos.

El Programa Bracero hizo que don Gonzalo reconociera que el trabajo en ambos lados era el mismo, pero la paga era la razón que hacía que la gente prefiriera trabajar en un país ajeno, lejos de su gente y de su hogar.

La Segunda Guerra Mundial y otros conflictos internacionales ofrecieron la oportunidad de que hombres fuertes y trabajadores, como don Gonzalo, se prestaran al intercambio trabajo-hombre, lo que

[1] Se realizaron dos entrevistas en la casa de don Gonzalo, en Santa María del Río, el 18 de noviembre de 1999 y el 27 de enero de 2000.

permitió, a la vez, la apertura y auge de la oleada migratoria hacia Estados Unidos.

* * *

Mi padre nació en México, pero a la edad de un año se fue a vivir a Estados Unidos; mis abuelos se lo llevaron pa'llá. Allí estudió hasta la educación primaria en inglés, y ya a los veinte años se regresó a vivir a México. Él casi no hablaba español, porque allá toda la escuela la tuvo en inglés, así que él aprendió español por sí solo. Mi padre era reinteligente y restudioso; en poquito tiempo estudió y estudió y pudo conseguir una chamba de profesor aquí en la escuela del pueblo; siempre le dieron el sexto año. Pero pa' desgracia de él, en el tiempo en que mi padre trabajaba en la escuela, se vino un presidente de la República que era masón; cerró las iglesias, hizo un escandalazo y les exigió a todos los profesores que se pusieran una cosilla roja en la bolsa de la camisa, que significaba el masonismo; pero a causa de que mi abuelo decía: "nosotros somos creyentes, no masones", pos ya no lo dejó trabajar, y nos las vimos muy duras porque mi padre jamás volvió a encontrar un trabajo duradero.

Yo me acuerdo que mis abuelos maternos nos ayudaron mucho, casi nos criaron. Yo tuve que empezar a trabajar desde chiquillo en el campo; sufríamos mucho, había días que nomás nos tocaba de una sola tortilla, un chilito molido y un jarro de agua, pero, de todos modos, ¡ésa era comida! Y aquí nadie se muere de hambre, ¡eso está comprobado!

Mi padre no pudo echarnos a la escuela; la cosa estaba muy apenas, y nosotros no aprendimos, pos por la dejadez que uno tiene de joven; además, la necesidad de trabajar era más que las ganas de aprender. Sé poner mi nombre, aprendí yo solo, y me enseñé a hacer cuentas. Yo creo que es porque Dios le da a uno inteligencia; así también era mi abuelo, sabía muy poco, pero a ver, ¿cuándo lo hacían tonto? A veces me ponían hacer cuentas como de 375 kilos de nueces a 4.50 o 5.50, y algún pelao se ponía con el lapicero, y yo nomás con la memoria, y yo le decía es tanto, y él seguía hasta que terminaba y rectificaba, y yo siempre las hacía más pronto que él. Ya de más grande decidí irme a trabajar porque tenía la necesidad de ayudarle a mis padres; aparte, había más familia, poco trabajo, mi padre no tenía chamba y nosotros teníamos que ayudarle; éramos diez hermanos, y yo fui el quinto.

Antes de irnos, no sabíamos nada de nada; aquí en Santa María del Río se corría la voz acerca de que la bracereada, y que la bracereada, pos donde quiera la gente se daba cuenta. Y le dijeron a mi mamá: "ándale"; era como tía de ella, y su marido apuntaba listas, y le dijo: "ándale, ¿no tienes un muchacho? Tu tío está haciendo una lista". Parece que nos cobraba 11 pesos por apuntarnos; según esto, decían que el dinero era para el señor diputado de nuestro padre Jesús Nazareno, y un peso pa'l que hacía la lista. Mi mamá dijo: "Pos sí tengo uno". Me dijo; y yo para ese entonces tenía como unos 200 o 250 pesos de mis domingos que iba juntando; siempre quise comprar una bicicleta, pero con ese dinero me fui, porque siempre llevaba dinero de sobra, y así me podía venir de donde fuera y cuando quisiera; nunca me fui nomás así.

La primera vez me fui escondido de mi padre, porque él no quería que me fuera porque desconfiaba; nomás estuve de acuerdo con mi madre. Ya después nos enteramos que este programa era de parte del gobierno. La bracereada fue cuando estaba López Mateos, él se puso de acuerdo con el gobierno de Estados Unidos, y le prestó gente de aquí para trabajar allá, y le daba un tanto por cada bracero, íbamos millones. Así es que se ganaba mucho dinero, millones de dólares; parece que le cobraba un dólar por persona, y pos íbamos de todas partes, cada lista era de 150, más o menos.

La primera vez nos contratamos en San Pedro Tlaquepaque, Jalisco; pero el lugar iba variando, a veces nos contrataban en Monterrey, Mexicali, Chihuahua, otras veces contrataban en todos los estados al mismo tiempo. Esa vez íbamos 150, y nomás pasamos 75, pos es que había muchos que no eran pa'l trabajo.

Cuando llegamos, estaban tres americanos, y a unos diez pasos de nosotros se pusieron con unas mesitas, y veníamos en la fila, nosotros nomás llevábamos nuestra cartilla bien arreglada; y al entrar en la puerta de allí, agarraban uno pa'llá y otro pa'cá; en lo que llegaba uno a donde estaban las mesas, veía como a unos no los dejaban ni llegar, les decían: "váyanse para allá, pa' la izquierda". Yo iba ahí con otros de aquí, de la fracción de Sánchez, que decían: "y ésos, ¿porqué los echan pa'llá?", pos si uno ni sabía. "¿Qué, ya van contratados o no? Ésos ya los desecharon; ésos que saben hablar no los dejaron pasar."

Teníamos que llegar hasta la mesita donde estaban los gringos, y de ahí nos llevaban para otro cuartillo, pero sólo a los que veían que éramos de trabajo nos echaban a la derecha; primero pasamos como 20, y pasábamos como con unos doce médicos, pa'ver que no nos doliera ni una uña, de que estuviéramos completamente sanos. Las manos nos las tentaban; ellos eran los conocedores, escogían a la gente, y decían quien podía ir a trabajar y quien no. Recuerdo que ahí hubo uno que echaron pa'trás porque tenía unos callotes en las manos que casi se le caían a pedazos, y a ése no lo quisieron; le dijeron que se fuera a lavar las manos y ni así lo admitieron; eran canijos. Pos ya, de ahí pasamos como 18; ya de ahí nos dijeron: "vamos a salir a las cuatro de la tarde". Nos fuimos por el tren a Sonora, y ahí hicimos otra parada y comimos camarones que nosotros compramos ahí mismo.

Los americanos pagaban el viaje. En el tren duramos cinco días y cinco noches para llegar a Sonora; íbamos, pos ya no recuerdo bien si íbamos en el de asientos o no, pero el chiste es que nos salíamos a que nos diera el aire arriba, es que hacía mucho calor y luego nos agarraba el sueño, y nos amarrábamos con el cinturón, y ya iba uno seguro. Cuando me dijeron que ya me podía ir a trabajar, me llevé sólo una muda de ropa: camisa, todo lo que uno se pone y una cobija; era sólo una maletita lo que llevábamos.

De ahí nos fuimos hasta cruzar al otro lado. Al pasar la frontera no nos revisaron nada, llegábamos con paso libre y allá teníamos vía libre; creo que era Calexico. De ahí nos contratamos, y a mí me tocó el estado de Utah, juntito de Nevada. De ahí nos fuimos, salimos como a las cuatro o cinco de la tarde con rumbo al estado de Utah, y llegamos al otro día; llegamos como entre la una o dos de la tarde. Era un carronón; íbamos como en una cama, y no en un petate, era mucho campo, eran de esos carrotes que traen unos perros galgos, y cargaban de todo. De ahí nos fuimos por carretera.

Por fin, en mayo de 1953 estuve por primera vez en el estado de Utah, adelante de Los Ángeles. Recuerdo que luego luego empezamos a trabajar, hacía un frillazo, y anduvimos desaterrando canales con la pala para que corriera el agua, porque los tubos estaban tapados de arena que venía de un volcán cercano. También partíamos semillas de papa, las cortábamos en pedacitos, para luego sembrarlas; después la desyerbábamos, para que no hubiera yerba y huite. Al terminar, hicimos puentes para que los trailers pasaran a levantar toda la siembra de papa.

Una vez estábamos poniendo unos bloques de lámina gruesa para hacer los puentes del agua, y entre tres cargábamos todo el peso, y de repente la soltaron, y me falsié de por la espalda. Me hicieron mucho la lucha; me sobaron, fui con muchos curanderos, y ahí mismo ni sabían qué atención darme.

Cuando dictaba las cartas pa' mi mamá, le decía que me iba a aguantar. Ya me hacía casi tonto, pos no podía trabajar del dolor. Y, entonces, nos tocó ir a desyerbar una papa, y al subirme a la camioneta me dolió tanto que casi me dejé caer pa'trás y, en ese mismo momento, pedí mi pase pa'cá. Iba a empezar la pizca y yo no había trabajado lo suficiente, porque así malo, pos, ¿cómo trabajaba? Yo creo que el taruguismo estuvo en no saber qué hacer; hubiera pedido un permiso y hubiera regresado; allá se hacía buena lana y nos trataban muy bien; buenas camas, cocineros que hacían mucha comida, y lo que nos daban hoy, no, no lo daban hasta dentro de ocho días, pa' no repetir, y vivíamos en una casas de maderas.

Por fin me vine, pero me dijeron que no me daban todo el pasaje, sólo la mitad y acepté, pos ya había estado tres meses pasaditos, y ya podía pagar la otra parte del boleto, más el guardadito que tenía. Cuando llegué a México me fui a sobar con un tío en Guanajuatito, y luego luego se me quitó el dolor y podía moverme.

Entonces, en el mismo año, me fui otra vez pa'l otro lado; llegamos a California como el 14 de septiembre, y luego luego a la pizca de naranja. Hacía un calorón muy fuerte, y a los 15 días el cinturón ya me daba vuelta hasta por acá. Casi siempre se quedaba un tiradero de lonches, a nadie le daban ganas de comer; a lo único que le entrábamos era a las naranjitas y unas pastillitas de sal pa' que no nos pegara tan duro el sol. No comíamos, y en dos semanas ya estábamos en el puro hueso. Los últimos días de septiembre se despidieron con mucho calor; como a la hora de que empezaba a rayar el sol, comenzábamos a sudar, y para las 10 parecía que nos habíamos metido en una alberca. Llegué a creer que iba a hacer más calor, y ya estaba pensando en regresarme, pero, de repente, ya a la una de la mañana, buscábamos la cobija.

El trabajo aquí y allá era el mismo, nomás que uno tenía que aguantar esos calorones y esos frillazos; porque ni pa' cuando aquí en México se ganará lo mismo. En ese tiempo parece que un dólar valía 8.60 pesos, y en seguidita subió a 12.45, y ahí estuvo mucho tiempo. Nuestras rayas eran de 80 dólares en 15 días, y aquí ganábamos tres pesos. Por ejemplo, cuando vino la carretera, trajeron el precio del peón de pico y pala, creo que iban a ganar 12 pesos, y el que agarraba máquina pa' perforar a ésos les daban 25 pesotes. Pero el presidente que estaba aquí la regó; les dijo: "¿Cuánto van a pagar?" "No, pos les vamos a pagar 12.50 el que agarre máquina, y el que no, pos seis pesos." Y, entonces, le dijo el presidente: "No, aquí trabajan por tres pesos de sol a sol". ¡Hijo de su repelona! A él qué le importaba; entre más dinero se quedara aquí, era mejor, pos si el dinero era de los dos países; y acabaron pagando seis en lugar de doce.

En cambio allá, cuando me tocaba la contratación, pos empezaba a mandar luego luego los dólares, y así cada quince días les mandaba. El mayordomo general nos echaba el dinero en el correo, y siempre llegaba completo; allá son muy derechos y hasta por un cinco hacen un cheque. Los gringos odian la mentira. Mi familia debía dinero, y enseguidita pudieron pagarlo. Yo siempre les ayudaba, y nos dimos una buena alivianada.

Casi nunca faltó el trabajo. Cuando acabábamos los contratos, siempre había gringos que hablaban muy bien español, y nos daban unas tarjetitas y nos decían que la próxima vez que cayéramos en el campo ellos podían ir por nosotros.

Siempre me llamó la atención irme a ganar dólares; las primeras veces me fui soltero, pero en el año de 1955 me casé, y con más razón iba. Después nos dieron una mica que era para seguir yendo, porque la bracereada ya se iba a acabar; así que las siguientes veces me fui a Utah, California, Nuevo México, Westlako, Rainbowville, Las Mesas, Stockton, California; Denver, Colorado; Nogales, Nuevo México; Texas; Las Vías, en Laredo; y la última vez estuve, en 1955 o 56, en Arkansas. En total fui como unas doce veces.

Cada vez que quería ir de regreso a Estados Unidos me volvían a revisar todo, pero, como dijera yo, no batallaba pa' pasar; después hasta ya pasaba más fácil. A veces nomás daba 20 pesos, y ahí dejaban que agarráramos el contrato, o sea, le coyoteábamos.

En Monterrey había un centro de contratación que se llamaba El Empalme, ahí me hallé un compañero que estuvo en el estado de Utah, y lo había conocido en Durango; él andaba como de palomilla, para que no se metiera la gente, y ahí me lo hallé, y le dije: "¿quihubo, qué?" "¿No pasas tandas?" "¡Órale!" Y ya me metió como unas dos veces. Él estaba traficando, y cuando veía que me echaban pa'fuera, iba y me llevaba hasta que ya no me echaban pa'trás.

Todos, toditos, se iban, unos con lista y algunos se iban sueltos, sin lista, y pos allí se metían entre la gente. De aquí llevábamos nosotros una lista, y por ahí andaban unos que no iban en lista, y si le tocaba suerte, pos se pasaban; siempre se podía. Nos exigían una carta de recomendación que daba el municipio; así que ellos tráiban su carta, y era como si hubieran sido unos de ellos. Todos pasaban con su carta de recomendación en la mano, y les decían: "pásele, pásele", y así se pasaban. Ya como en el 58 nos dieron una tarjeta del PRI con foto, y con ésa ya era más fácil que quedáramos en lista.

A veces, cuando íbamos nomás durábamos en la pizca como tres semanas, un mes, y vámonos de regreso. Me gustaban todos los trabajos, pos, finalmente a eso íbamos. Al principio yo no sabía pizcar de todo, pero en Río Bravo me enseñé rebién.

La vez que caí en Nuevo México, mi patrón no tenía pizca, y nos prestó con unos gringos que tenían un algodón bonito y grande, que parecía una sábana. Cuando estábamos pizcando, las manos se congelaban nomás en un ratito; eran muchas horas las que pasábamos agachados, y nos tocaban como de a 11 surcos por cabeza. En esos años los laguneros tenían el número uno en la pizca, pos ya tenían mucho tiempo trabajando en eso, pero, en ese año, los de San Luis Potosí les arrebatamos el primerito lugar; nosotros éramos mejores.

Esa vez de Nuevo México fue la segunda vez que pizqué; sacábamos rayas de noventa y tantos dólares a la semana, mientras otros sacaban rayas de 60. Ahí la libra de algodón la pagaban retebién, era como entre 3.50 y cinco. También estuve en la pizca de jitomate, deshije de betabel, de manzana, de naranja, de pera, de algodón; también le hacíamos a todo lo que se necesitara, pos éramos los únicos ahí; donde nos tocara.

Lo único que no me gustaba hacer, cuando iba, era manejar; había veces que me decían que tenía que ir al volante, y yo prefería irme arriba del capacete pa' que me fuera pegando el aigre. Nunca aprendí bien, porque una vez vi a un chofer que trabajaba ahí mismo llevarse unos sustos muy grandes, y pos prefería no aprender.

A veces no se completaban los contratos; como cuando estuve en Denver, Colorado, me faltaron como ocho días de trabajo, y el contrato era de 45 días; pero siempre llevábamos contrato. Si queríamos, nos podíamos quedar allá, aunque no debíamos. En ese tiempo estaba fácil arreglar el pasaporte, nomás costaba 500 pesos. Yo no arreglé pasaporte porque una vez vi a tres muchachos que llegaron a Nuevo México, tenían tres días que no comían ni una tortilla, y le pidieron trabajo a mi patrón y él no les quiso dar; les dijo: "no, porque si me hallan que estoy dándoles trabajo, me multan"; esto nomás era pa' la pura bracereada. Entonces, yo pensé que el pasaporte no servía para nada. Ellos andaban en un carrillo como de 25 dólares, había coches desde ese precio, y muriéndose de hambre; una enfermedá y se morían. En cambio, a nosotros luego luego a los mejores médicos. Algunos sí se murieron allá, pero por otras razones, pero en el trabajo casi no; y a los que se morían trabajando, a sus familias les mandaban mucho dinero, casi como 50 mil pesos, era un dineral en ese tiempo. Nomás los terrenos costaban como 300 pesos, estaba barato.

Dormíamos muy poco; el sol se metía a las nueve de la noche y a las cuatro amanecía, y nosotros nos dormíamos como a las 11 o 12. Ni modo, había que aguantar de todo. Casi no teníamos tiempo libre; a veces se nos iba el día en trabajar y hacer de comer cuando no había cocineros, y después a preparar la harina pa'l otro día. Lo bueno es que en ese tiempo no me sentía cansado, había veces que les preguntaba: "oye, ¿qué cosa es cansado?". A veces, cuando nos tocaba hacer la comida, y yo me ponía a hacer las tortillas, porque era el que las sabía hacer, y les decía: "a ver, tráime tantita agua", y ni siquiera se podían agachar, iban con una calma, y les decía: "hazte unas sentadillas pa' que se te amolden las rodillas". ¡Qué bárbaros!

Nunca tuve tiempo de aprender inglés, nomás sabía contar hasta el 100 y varias palabras; un indio que trabajó allá conmigo me enseñó.

Después de que me casé, tuvimos diez hijos: siete hombres y tres mujeres. Siempre quise que mis muchachos estudiaran lo que quisieran; pero, por lo menos, todos tuvieron educación primaria, otros secundaria y otros preparatoria, sólo a uno le faltó unos meses pa' que la profesora le diera el certificado.

Ahora vivo tranquilo y contento; estoy lleno de hijos y nietos así chiquillos, y siempre los pongo a que se enseñen a trabajar; la cosa está dura, y no hay de otra, si no aprenden desde ahorita, pos de grandes serán unos inútiles. La bracereada fue muy buena oportunidad pa' sacar un dinerito, hacerse de unas tierritas, y como yo, que ahora vivo de eso, y ya por lo menos tengo en donde morirme.

El Traque[1]

Carlos Labastida Rojas

Muchas veces platicamos acerca de los migrantes que se van a probar suerte a Estados Unidos, pero pocos conocemos verdaderas historias de quienes han vivido esta experiencia. José Assaf es un claro ejemplo de las personas que, a base de echarle ganas y hacer bien el trabajo, lograron salir adelante y sin problemas en Estados Unidos.

José se fue a Estados Unidos a trabajar desde que era joven, primero se fue, como él dice, "a la aventura", cuando tuvo la oportunidad por medio del Programa Bracero, en 1943; pero, en 1963, veinte años después de haber regresado a San Luis Potosí, y haberse casado, las circunstancias lo orillaron a volver a Estados Unidos, cuando, "gracias a Dios y a echarle ganas", le fue muy bien.

José pertenece a la clase media; en su casa, al tiempo que desayunábamos unas quesadillas que hizo su esposa, me platicó cómo se fue a Estados Unidos, en un principio, sólo por la aventura de conocer y disfrutar nuevas experiencias en aquel país; pero después de formar una familia tuvo que tomar la decisión de emigrar a Estados Unidos, de lo cual, dice, no se arrepiente. Dejemos que el mismo José platique su historia desde el principio.

* * *

Eran principios de la década de los cuarenta, estábamos en tiempo de guerra y yo vivía aquí, en la ciudad de San Luis Potosí, gracias a Dios no tenía necesidad de trabajar, ya que vivía con mi familia, y mis papás aún me mantenían y no tenía mayores obligaciones. Lo que yo hacía era andar por ahí pasándola bien; además, entrenaba lucha libre, y gracias

[1] Entrevista realizada el sábado 9 de diciembre de 2000, en San Luis Potosí, S.L.P.

a eso me salían luchas en las cuales me ganaba una plata para gastarla en lo que yo quisiera.

Por mi casa había un centro en el cual contrataban gente para irse a Estados Unidos a trabajar; era como una oficina con tres escritorios en donde arreglaban tu contrato y todo lo necesario para irse a Estados Unidos a trabajar. Un día, yo iba pasando por ahí, y un gringo que estaba parado en la banqueta me habló y me invitó a irme a trabajar con ellos; me dijo que podía ganar buen dinero y, aunque yo no tenía la necesidad económica de irme, me llamó mucho la atención el conocer por allá y la idea de la aventura, entonces y sin pensarlo mucho le dije que sí. El gringo me pasó a donde contrataban a la gente, y me explicó más o menos sobre el contrato por medio del cual iba a llegar a trabajar a Estados Unidos y después me lo dio para que lo firmara. El contrato era por una duración de seis meses y con posibilidad de renovarlo. Ya que había firmado, el gringo me dio una tarjeta del centro en el que me habían contratado, y me dijo que me presentara a los tres días en la estación de ferrocarril con tres cambios de ropa.

Al llegar a la estación, me fui en un ferrocarril en donde íbamos varios trabajadores ya contratados; en el camino nos dieron de comer y nos echamos todo el viaje de corrido hasta Los Ángeles, California; se me hizo raro que el ferrocarril no hiciera ninguna parada en la frontera, pero yo creo que fue porque ya se sabía que íbamos para allá desde que firmamos el contrato con los gringos.

Al llegar a Los Ángeles nos estaban esperando unos camiones especiales para los que íbamos a trabajar. Estos camiones nos repartieron a todos los que íbamos a diferentes partes de California; a mí me tocó irme a trabajar en el pueblo de Glendale, que estaba muy cerca de Los Ángeles, como a unas 15 millas.

El día que llegué a Glendale era un domingo y nos llevaron a unas cabañas que estaban especialmente para nosotros. Estas cabañas estaban contempladas en el contrato que habíamos firmado, algunas eran para cinco o seis personas, y otras eran para una sola persona. Las cabañas tenían una cama de paja y una estufa. A mí primero me tocó en una cabaña de cinco personas, pero, afortunadamente, después de tres meses me cambiaron a otra yo solo.

El trabajo que teníamos que hacer era trabajo a pico y pala, se trataba de estar en las vías del ferrocarril rellenando los lados de los durmientes para nivelarlos. Me acuerdo que lo que nos pagaban eran

55 centavos de dólar por hora y las horas extra nos las pagaban a 82 centavos de dólar por hora. Trabajábamos 10 horas diarias, de lunes a viernes, los sábados sólo trabajábamos medio día, y descansábamos los domingos.

Después de haber estado trabajando durante seis u ocho meses, me acuerdo que nos dieron unos folletos que decían cómo hacer señales a los trenes para que se pararan, y así pudiéramos arreglar la vía por donde iban a pasar. Como a los tres días, nuestro jefe ofreció el puesto de *signal man* a quien estuviera interesado, y como yo ya me había aprendido lo del folleto que me había dado me ofrecí a tomar el trabajo y me lo dieron, dejando así el trabajo de pico y pala para convertirme en el jefe de señales, el puesto que me habían dado era por el mismo sueldo, pero tenía más tiempo de descanso y, además, era menos cansado, entonces yo estaba más contento como *signal man*.

Recuerdo que el tren más pequeño que llegué a contar era de 180 a 200 vagones, que iban jalados por tres locomotoras. Los trenes transportaban soldados, armamento, tanques, aviones, cañones, lanchas de desembarco, etcétera. Los trenes que venían con soldados eran los únicos a los que no se permitía parar; para saber si paraba el tren o no y si era de soldados o no, las gentes de ahí me decían más o menos una hora antes de que el tren llegara.

Como de *signal man* tenía más tiempo, encontré otro trabajo en un restaurante de por ahí lavando platos en el tiempo en que no trabajaba; ahí me daban de comer y me pagaban a 50 centavos de dólar la hora. A los pocos días me llevé muy bien con mi jefe, ya que trabajaba bien y no le daba nada de lata; además, siempre andaba de buenas y platicaba con todo mundo. Me acuerdo que al muy poco tiempo ya me llevaba a mentadas de madre con él, pero claro que en buen plan y con respeto. Un día, me acuerdo que me preguntó que cuántos éramos en el trabajo, y yo le dije que éramos como 15; ese día me dio comida para todos, y desde esa vez me seguía dando la misma cantidad de comida más o menos dos veces por semana. Después de como tres meses, ya se me hacía muy cansado estar en los dos trabajos, entonces tuve que renunciar en el restaurante, aunque mi jefe me insistió que me quedara, pero, la verdad, yo no podía con tanto trabajo.

Después, en el trabajo me dieron vacaciones; me acuerdo que las disfruté muchísimo, ya que me dieron boletos del ferrocarril para donde yo quisiera, claro que dentro de Estados Unidos. Conocí muchas partes, entre ellas San Francisco, Hollywood, Sacramento, Los Ángeles, que ya lo conocía porque iba muy seguido, Long Beach y muchos otros lugares.

En cuanto a la discriminación, gracias a Dios a mí me fue muy bien, ya que nunca fui humillado ni nada de eso, pero me platicaban que en muchos lugares era muy dura; recuerdo que me dijeron que en algunos baños públicos, a los que yo no iba, había letreros que decían: "no se aceptan perros ni mexicanos".

Después de dos años que estuve por allá empecé a extrañar mucho a mi familia, mi casa, etcétera, y como ya había conocido muchas partes de Estados Unidos, que era lo que quería hacer, entonces decidí regresar a San Luis Potosí. En San Luis pasó el tiempo, conocí a Rebeca, mi esposa, me casé y tuve cuatro hijos. Ya cuando estaba casado y con mis hijos puse un negocio, por medio del cual pensaba mantener a mi familia y vivir en una situación cómoda y estable.

Al poco tiempo de haber puesto mi negocio, me fue muy mal y quebré, por lo tanto, me quedé en la miseria. Al verme así decidí que, después de 18 años de haber regresado, me volvería a ir a Estados Unidos, en 1963. Para poder pasar a Estados Unidos saqué mi pasaporte mexicano sin problemas; después fui al consulado estadounidense en la ciudad de México y pedí un permiso para entrar, les expliqué que el motivo por el que iba a Estados Unidos era que iba a ver la serie mundial y me lo dieron fácilmente.

Después de haber conseguido el permiso para pasar la frontera, conseguí dinero prestado, y a los pocos días me fui en el ferrocarril directamente a Chicago. En Chicago vivía un hermano mío que me recibió fácilmente y me dio hospedaje y comida gratis mientras encontraba trabajo, y ya que consiguiera trabajo, me cobraría una cuota. Duré ocho días buscando trabajo, después de esos ocho días y gracias a un amigo que conocí allá por mi hermano y me recomendó, conseguí un trabajo en una fábrica grande de dulces, la Brachs; el trabajo que conseguí era de empacador.

Ya trabajando, había veces que la situación se ponía dura; entonces, para sacar unos centavos extras, buscaba algún trabajo extra en mi tiempo libre que saliera ahí mismo dentro de la fábrica en cualquier otra área, como barrendero o algo así. Desde que empecé a trabajar, todo el tiempo yo le mandaba dinero a mi familia para que no les faltara nada y vivieran bien. Del dinero que yo ganaba, siempre una parte la mandaba a México con la familia, otra parte era para mí y mis gastos y otra parte la ahorraba por cualquier cosa que llegara a pasar. Así fue todo el tiempo que estuve viviendo y trabajando en Estados Unidos.

Desde que entré a trabajar a la fábrica yo siempre fui muy puntual y me preocupaba por hacer muy bien mi trabajo, esto lo notaban los supervisores y la gente que trabajaba en puestos más altos que se daban una que otra vuelta por donde estábamos los obreros; entonces, como al año de que entré y gracias a mi trabajo, me ascendieron a operador de máquinas, entonces yo ya tenía un mejor sueldo y ya podía pagar un lugar en donde yo vivía solo.

Como yo ya estaba viviendo solo, con un mejor sueldo y además ya estaba más estable y acostumbrado a la vida de allá, le mandaba dinero a mi familia para que me visitaran como una o dos veces al año; de hecho mi esposa a veces me visitaba más seguido, pero yo no podía regresar a México porque, además de que el trabajo casi no me dejaba, no me podía arriesgar a que ya no pudiera volver a entrar a Estados Unidos.

Así duré como otros tres años, trabajando de operador de máquinas y sin dejar de preocuparme por hacer muy bien mi trabajo; entonces, un día llegó mi jefe y me dijo que me quería ver en su oficina, entonces yo pensé que me iba a regañar o algo así, porque los trabajadores a veces se quejaban de que yo era muy apático con ellos, pero lo que pasaba es que yo casi no los pelaba para echar relajo por estar trabajando, entonces les caía mal. Ya que entré a la oficina, mi jefe me dijo que si quería ser supervisor, entonces yo me reí y le dije que cómo, que yo no hablaba casi nada de inglés y que cómo podía ser supervisor, entonces el jefe me dijo que no importaba, que si conocía bien el trabajo; yo, como lo conocía muy bien, le dije que lo conocía mejor que él, entonces me dijo que me iba a dar el puesto aunque en un principio se me iba a pagar lo mismo que me estaban pagando, pero que me iban a mandar a la escuela especial de la empresa para que aprendiera inglés y otras cosas que tenía que aprender, como matemáticas necesarias para mi trabajo, fórmulas químicas de los dulces, y saber checar los colores, textura y forma del dulce, entre otras cosas; después, con el tiempo y como fuera mejorando, iba a poder ir ganando más; entonces, yo le dije que sí aceptaba el puesto y me hice supervisor.

Al principio no me daban mucho tiempo de trabajo, ya que me daban más tiempo para ir a aprender en la escuela, en donde echándole ganas al poco tiempo ya me ponía al tú por tú con los gringos que iban conmigo. Después de que terminé de prepararme en la escuela especial de la empresa, me empezaron a dar un sueldo anual, el cual iba subiendo de acuerdo a la producción que yo fuera teniendo en mi área; además había bonos, los cuales yo iba ganando, y así incrementaba mi ganancia.

Así pasó el tiempo, y yo seguí así, trabajando en la misma empresa y teniendo un buen desempeño dentro de mi trabajo; entonces, después de aproximadamente unos 15 años, me ascendieron al puesto de asistente de *manager*, en este puesto me subieron en buena medida el sueldo. Como asistente de *manager* yo tenía que revisar las listas de producción, hojas de pago, revisar constantemente que el departamento que me tocaba estuviera en buenas condiciones, checar a los supervisores y suplir al *manager* en todo lo necesario.

Al tomar el puesto de asistente de *manager*, con la ayuda de los directivos de la empresa y por medio de un licenciado, conseguí que me dieran mi *green card*, entonces dejé de vivir con el temor de que algún día me fueran a agarrar y regresar a México por estar trabajando ilegalmente. Ya con mi *green card* y con el sueldo que tenía, empecé a viajar a México para visitar a mi familia cada que podía, aunque ellos seguían visitándome, entonces tenía mayor contacto con ellos.

Así pasaron los años, y esperé a que me llegara la edad de mi retiro; entonces, a los 67 años me retiré. Para retirarme, tenía que presentar al gobierno mi *green card* y una carta de la fábrica donde dijera que me jubilaban. Ya, como a las dos semanas de haberme retirado, me regresé a vivir a San Luis Potosí con mi familia.

Actualmente, ya retirado, recibo una pensión que me permite vivir cómoda y establemente con mi esposa; además de que tengo mi seguro médico y uno que otro privilegio que les dan a los retirados. La pensión me la dan por medio de depósitos bancarios en una cuenta especial para ese dinero. A Estados Unidos ahora voy de vacaciones aproximadamente unas dos o tres veces al año, o en caso de que sea necesario.

MIENTRAS LLEGA LA CHAMBA

Francisco Javier Roldán Herrera

Yo, don Manuel Rodríguez Silva, natural de Tamaulipas, con los muchos años que tengo a cuestas, digo que me acuerdo cabalmente de todo lo pasado, pues la mente y la memoria no me fallan todavía. Cuando joven, nunca me paraba a pensar en aquellas cosas y sólo veía por las presentes o las por venir. Ahora, que me hago cada día más viejo, pienso más en las cosas de antes y hasta me parece estar viviéndolas muchas veces, como si hubieran ocurrido apenas y no hace tanto años.

Bien que me acuerdo de todo lo que les cuento a los nietos cuando me quieren escuchar, porque los hijos están hartos de mis recuerdos, aunque por respeto crean disimular. Razón tienen, pues los recuerdos sólo son de uno, y si los nietos consienten escucharlos es nomás porque se les hacen como cuentos, no por otra cosa...

El hombre que entrevisté es un pariente que en sus años de juventud se arriesgó a cruzar la frontera norte como mojado para ganar un poco de dinero mientras conseguía emplearse en un ingenio azucarero en su tierra natal; es originario de Tamaulipas, pero desde hace 20 años reside en la ciudad de San Luis Potosí.

Cabe destacar que la demanda de mano de obra en el desarrollo estadounidense ha sucedido en distintos momentos y ámbitos geográficos, como en la expansión de la economía agropecuaria en el sudoeste y el surgimiento de mercados de trabajo en estados como California, Illinois y Texas, este último fue el escenario de la aventura migratoria de don Manuel Rodríguez Silva,[1] que emprendió en la época del Programa Bracero, el cual no pudo acogerlo, por lo que se fue de mojado.

[1] La primer entrevista fue realizada el 25 de noviembre de 2000; la segunda el 31 de enero del 2001, ambas fueron hechas en su hogar.

* * *

...Soy originario de Xicoténcatl, Tamaulipas, tierra de hombres trabajadores de sol a sol; nací un 27 de enero de 1930. Desafortunadamente, por sucesos familiares, no terminé la escuela primaria, nada más llegué... hasta tercer año, así que me puse a trabajar en lo que hubiera en ese entonces, que no era mucho. Cuando era yo un muchacho, de unos 15 años, algo travieso, la verdad, como debe ser cuando Dios se ha servido de dar, junto con la juventud, la salud, la fuerza y no mal entendimiento, comencé a trabajar en las labores del campo, principalmente limpiando y preparando los terrenos para la siembra de la caña de azúcar en el ingenio azucarero, pero cuando no era temporada de barbechar trabajaba como cargador y descargador de los camiones de cerveza que llegaban al pueblo, ya que esto era prácticamente lo único en lo que se podía emplear mientras llegaba la temporada de trabajar en el campo.

La única idea que tenía en mente era trabajar para sacar dinero y poder mantener a mi madre y a mis dos hermanas, las cuales tuve a mi cargo desde que falleció mi padre hacía algunos años atrás, sin importarme el trabajo que fuera. Aunque a mi corta pero madura edad tenía la esperanza de poder ser contratado por el ingenio azucarero[2] del pueblo de Xicoténcatl, como ayudante de albañil, ya que en esa época comenzó su construcción. Para finales del año de 1946 tuve la primera oportunidad de comenzar a trabajar como ayudante de albañil en la construcción del ingenio azucarero; en este año contaba con la edad de 17 años, pero como aún no cumplía con la edad requerida por el ingenio, tuve que modificarla por 18 años para poder ingresar a éste.

Estuve trabajando de esa manera cerca de tres años, y para 1949, año en que el ingenio comenzó a funcionar, se realizó la primera serie de contrataciones para laborar en la compañía como peones para la zafra,[3] en las cuales yo no logré enrolarme a las filas de la organización, y eso significó quedarme desempleado. Fueron muchos mis piensos

[2] El nombre de este ingenio es Compañía Azucarera del Río Guayalejo, S.A. de C.V., Ingenio Aarón Sáenz Garza.

[3] La zafra es el proceso al que es sometida la caña de azúcar desde su corte hasta su salida como producto terminado. Este proceso dura aproximadamente siete meses, a partir de octubre.

para tomar una decisión al ver que no estaba enrolado en el ingenio, pero llevado por la desesperación que sentía por no tener dinero, la presión de mantener a mi familia y el problema de ser un desempleado, me hizo mirar hacia el norte en busca de una chamba temporal, por mientras que la contratación de la siguiente temporada llegaba en el ingenio, la de reparación,[4] y se hicieran nuevos alistamientos; esta decisión la tomé junto con dos de mis mejores amigos y compañeros de trabajo, don Jacinto de Silos y don Pascual Hernández, que en paz descansen, y es aquí donde se inicia mi aventura hacia el norte.

La idea de migrar a Estados Unidos fue, en un primer momento, de don Jacinto de Silos, quien propuso emigrar hacia Texas, por la temporada de la pizca de algodón, además de que él tenía enlaces o vínculos con un gringo que era dueño de ranchos algodoneros en Río Hondo, Texas. Así, de esta manera, en una noche de amigos nos pusimos de acuerdo para realizar nuestra travesía al país vecino, nuestra travesía a Estados Unidos comenzó a las siete horas de la mañana siguiente de nuestra reunión, con escasos 15 pesos cada uno y una pequeña mochila al hombro que contenía tan sólo tres mudas de pantalones y camisas, y un gran sentimiento por la familia que abandonábamos y al no conocer el destino que nos deparaba. Nos dirigimos a abordar el autobús que nos llevaría a la ciudad de Matamoros, llegamos a ésta a las cuatro de la tarde del mismo día, y de ahí nos dirigimos al río en busca del patero que por seis pesos nos ayudaría a cruzarlo, a partir de ahí caminamos varias horas a orillas de la carretera, siempre ocultándonos entre los matorrales cuando pasaban los carros echándonos sus luces.

Después de una larga travesía, logramos avistar a lo lejos un gran foco rojo que nos sirvió como guía para saber que nos encontrábamos cerca del pueblo de San Benito, a donde los peones de Río Hondo iban a comprar su despensa los fines de semana; viramos en dirección al rancho donde trabajaríamos en la pizca de algodón, arribando cerca de las dos de la madrugada. A pesar de la hora, fuimos bien acogidos por el mayordomo del rancho, quien reconoció a nuestro amigo; después de los saludos y de instalarnos en la casa, nos ofreció unas gordas de maíz para calmar nuestra hambre, ya que estábamos realmente hambrientos por la caminada.

[4] La reparación consiste en el mantenimiento y arreglo de las máquinas utilizadas en la zafra. Dura aproximadamente tres meses, a partir de julio.

Poco antes de las 10 de la mañana llegó el patrón, el gringo, quien reconoció a nuestro amigo inmediatamente, después de saludarlo, le planteamos nuestra situación y, obviamente, le pedimos trabajo, el cual nos lo fue dado inmediatamente, y a las 10 de la mañana comenzamos a trabajar afanosamente en los grandes campos algodoneros.

Cabe mencionar que se nos pagaba a destajo[5] de cinco a seis dólares, mientras que en México nuestra paga como ayudantes de albañil era de cuatro a cinco pesos la jornada; también se podía trabajar más o menos horas e igualmente se nos pagaba el equivalente a éstas y, pues, obviamente, estaba mejor el sueldo en Estados Unidos que en México. Además, teníamos dos días de descanso: el sábado, que era el día de raya y en este día se dedicaba uno a descansar o a jugar baraja todo el día con los demás compañeros, y el domingo, en el cual nos levantábamos temprano y nos íbamos a surtir la despensa al pueblo de San Benito y, algunas veces, a echarnos una que otra copita, aunque más bien nos llevaban en una camioneta del rancho al pueblo, nos dejaban ahí, y de la tienda donde uno compraba el mandado nos regresaban al rancho cobrándonos algunos centavos.

Afortunadamente nunca pasamos penurias en cuestión de habitación, comida o maltratos por parte de los gringos, siempre se portaron de manera amable y amistosa con todos nosotros, aunque el gringo era muy estricto en lo que se refería a los trabajadores que contrataba y principalmente a la prohibición de mujeres y niños en la labor de la pizca del algodón. La razón por la que no los aceptaba era sencilla: no quería problemas con los peones por causa de las mujeres, ni mucho menos que se les faltara el respeto por parte de algún trabajador. Con relación a los niños, la labor en el campo era muy dura, y un niño, por su condición, no iba a aguantar lo pesado del trabajo, además de que tendrían que andarlo cuidando y eso, obviamente, no era redituable para nadie.

En lo referente a la migra, tampoco teníamos problemas, ya que ésta casi nunca se presentaba en el rancho, y cuando lo llegaba a hacer, era por medio de avionetas que pasaban surcando el cielo muy cerca de los campos para ver qué gente encontraba, pero cuando esto sucedía

[5] El destajo es la paga por horas trabajadas en la jornada; ésta iniciaba a las 10 de la mañana y terminaba a las cinco de la tarde. La jornada empezaba a las 10 de la mañana porque esperaban a que el rocío se desvaneciera para poder pizcar el algodón.

nos aventábamos a los surcos cubriéndonos con el algodón para que no nos descubrieran.

Pese a que no tuvimos problemas con los gringos, siempre hay algo que agobia: la ausencia de la familia; y es que las semanas pasaron con gran calma provocando que comenzara a extrañar a mi gente, pero sobre todo a recordar a mi sobrina de escasos cuatro años, quien era mi consentida y una de las personas por las cuales me esforzaba allá en el norte.

Por fin, después de una larga temporada de trabajo, se acabó la pizca, y el gringo nos organizó una vaqueada[6] como despedida y agradecimiento por nuestro buen trabajo durante los meses que duró la temporada de pizca.

Regresamos a México con aproximadamente 500 dólares cada uno y regalos para toda la familia, entre los que destacaban colchas, ropa, cobijas, etcétera. Nuestro retorno fue muy fácil y cómodo porque lo hicimos en taxi desde Río Hondo hasta Matamoros, pasando por el puente fronterizo sin ningún problema con la migra; de Matamoros a Xicoténcatl viajamos en autobús, dándoles a nuestras respectivas familias la sorpresa de nuestro retorno.

En los meses siguientes a nuestra llegada, buscamos por todos los medios ser contratados en la temporada de zafra en el ingenio, pero de nueva cuenta no alcanzamos a enrolarnos en las listas del ingenio. Por esas fechas, el gobierno de la República y empresarios publicaron una convocatoria solicitando trabajadores para la industria extractiva de petróleo, en PEMEX, pero por las desfavorables condiciones de trabajo en las que se iba a estar y por la falta de conocimiento en las labores de extracción de petróleo, decidimos quedarnos en el pueblo desempleados hasta la siguiente temporada de pizca de algodón en Río Hondo, Texas. Lo bueno fue que no batallamos económicamente por un buen par de meses, ya que con el dinero que juntamos en Texas logramos sobrellevar los meses que estuvimos desempleados.

Pasaron los meses y se llegó el día del segundo viaje a Estados Unidos, pero en esta ocasión nuestra travesía no fue menos singular que la primera, ya que nos aventuramos a cruzar solos el río sin la ayuda del patero; para esto, cruzamos por otro lugar en donde el agua nos llegaba

[6] La vaqueada consistía en matar unas reses y preparar una barbacoa para los 300 peones que había en el rancho.

hasta las rodillas, pudiéndonos dar cuenta que la primera vez el patero nos había timado con la profundidad del río.

Hicimos un poco mal las cuentas de la temporada de pizca en Texas, ya que arribamos al rancho tres semanas antes, pero como habíamos hecho buenas relaciones con el gringo y especialmente con el mayordomo, que era mexicano, no tuvimos dificultades para instalarnos en el rancho y permanecer en él sin ningún problema hasta el inicio de la temporada de pizca. En esas tres semanas, lógicamente, no se nos dio una paga, pero tampoco se nos cobró nuestra manutención; fue hasta el inicio de la temporada cuando se nos comenzó a pagar como a cualquier otro peón, volviendo a realizar las mismas actividades agrícolas que la temporada anterior.

En este segundo viaje tuvimos nuevas experiencias, entre las que se puede mencionar la deportación de mi amigo don Pascual Hernández y la mía, quienes al haber realizado la compra de nuestra despensa, como en otras anteriores ocasiones, en el pueblo de San Benito, por una u otra razón, la camioneta que nos conduciría de regreso al rancho tuvo que hacer un viaje inesperado a otro lugar, así que decidimos esperarla en la cantina del pueblo, pero sin darnos cuenta del tiempo, pasaron aproximadamente cuatro horas, así que salimos con rumbo a la tienda donde debía estar la camioneta para ver si ya había llegado, pero, para nuestra mala fortuna, fuimos interceptados por una patrulla que al vernos tambalear nos detuvo para interrogarnos, pero por las copitas que nos habíamos tomado y al no poder comprobar nuestra nacionalidad norteamericana, fuimos inmediatamente trasladados a las oficinas de migración, en donde nos tuvieron toda una noche interrogándonos sobre el lugar en donde trabajábamos, pero como no quisimos echar de cabeza al gringo nos deportaron a México;[7] esto sucedió un viernes por la noche, y el domingo por la mañana fuimos trasladados con más mexicanos en autobuses hasta la prisión[8] de migración, de donde fuimos

[7] Como anécdota, don Manuel y su amigo dijeron al policía que les permitiera regresar los artículos adquiridos, pero éste no quiso, y los tres días que estuvieron detenidos en migración cargaron con éstos, hasta que el cocinero de la prisión de migración a escondidas y tras una gran insistencia aceptó quedarse con dichos artículos.

[8] El lunes por la mañana, antes de salir a los aviones, uno de los presos gritó que le habían robado la cartera, los policías acudieron inmediatamente e hicieron que la buscaran; al final se dieron cuenta de que la cartera se encontraba bajo la litera del preso, quien, la noche anterior, cuando jugaba cartas, la tiró por descuido; el policía –mexicano– le propinó tremenda golpiza por su error.

deportados el lunes por la mañana en aviones[9] a la ciudad de Colima y Guadalajara, siendo esta última a donde fuimos deportados.

Pero la aventura no termina ahí, porque en cuanto llegamos a la ciudad de Guadalajara, después de comer, compramos un par de boletos con dirección a Matamoros, arribando a esta ciudad al anochecer y sin perder el tiempo cruzamos de nuevo el río sin ningún problema. En la madrugada, al llegar al rancho de Río Hondo, nos refugiamos en una de las casas que tenía el gringo; ahí permanecimos hasta el amanecer. Cuando llegaron el mayordomo y el patrón nos preguntaron qué hacíamos ahí, mi amigo y yo les relatamos todo lo sucedido durante el fin de semana, y como no lo delatamos, no se molestó con nosotros, y ya para las siete de la mañana salíamos de la casa con dirección al lugar donde trabajábamos. Después de almorzar comenzamos nuestras labores en el campo como cualquier otro día.

Después de esa aventura, todo transcurrió con relativa calma hasta el final de la temporada de pizca en la que nuevamente nos hicieron nuestra respectiva vaqueada, y todos los ánimos de regresar a nuestras tierras natales estaban a flor de piel.[10] Y así como cruzamos el puente la primera vez, lo volvimos a cruzar pasando con todos los obsequios que les traíamos a nuestras familias, además de una buena cantidad de dólares, cerca de mil.

Cuando llegamos a nuestra tierra natal, intentamos meternos de nueva cuenta al ingenio azucarero y, para nuestra buena fortuna, esta vez sí lo logramos; comenzamos con la temporada de la zafra, y gracias a lo trabajadores que éramos, logramos enrolarnos para la siguiente temporada en la reparación. Así, de esta manera nunca más tuvimos la necesidad de voltear hacia Estados Unidos en busca de una chamba; aunque las puertas nos las dejaron abiertas para cuando quisiéramos regresar, no las volvimos a utilizar.

[9] En el avión, un joven, que no sabía leer ni escribir, no entendió que no se debía fumar dentro de éste, el policía de migración al ver lo que estaba ocurriendo fue hasta su lugar y sin decirle nada le dio seis cachetadas; el joven, desconcertado, preguntó por qué lo hacía, y le respondió que por hacer caso omiso a los señalamientos del avión. El joven ofreció una disculpa porque no sabía leer ni escribir, pero fue en vano.

[10] Otra anécdota que me relató don Manuel: al final de la temporada, otro mexicano, compañero de trabajo, una tarde les robó una ropa que habían mandado a la lavandería; dijo que él iba al pueblo y si querían podía traérselas, pero nunca regresó.

Y la verdad es que después de instalarnos en el ingenio azucarero y tener un trabajo permanente, seguro y con prestaciones laborales, decidimos luchar por mejores puestos dentro del ingenio y no andar pasando penurias en otro país. Pero, además, el haber viajado a Estados Unidos y haber trabajado en el campo, cosa que me gusta, me sirvió como experiencia y aventura, ya que de joven a uno todo se le hace fácil; así que migrar a Estados Unidos para trabajar temporalmente pasándonos de mojados era más fácil teniendo la frontera a unas cuantas horas de distancia.

Otra de las cosas que nos detuvo fue que nos casamos, y al tener familia se volvió más difícil despegarse de ella; además de que las condiciones laborales en el ingenio eran, en algunas ocasiones, mucho mejores que las que podíamos tener en los campos de Estados Unidos. Es por eso que para mí Estados Unidos fue un lugar muy bueno para trabajar, pero mi tierra también pudo ofrecerme los mismos frutos que me ofrecía Estados Unidos, y obviamente mis intereses estaban en México, no en el norte y, como puedes ver, hasta ahora no siento arrepentimiento de no haberme quedado a trabajar en Estados Unidos porque, en lo personal, mi trabajo y esfuerzo fueron bien recompensados en México.

Por ahí, donde anduve, ni pa' morirme[1]

Gabriela Sánchez Soto

Para los mexicanos, la Segunda Guerra Mundial abrió la puerta a la posibilidad de obtener trabajo al otro lado de la frontera. En esa época la demanda de trabajadores creció a consecuencia del reclutamiento de muchos estadounidenses en el ejército, lo cual generó que gran cantidad de puestos de trabajo quedaran vacantes.

México, como aliado de Estados Unidos en la guerra, contribuyó con trabajadores para la agricultura. Esta cooperación derivó en un acuerdo entre los gobiernos de México y de Estados Unidos llamado Programa Bracero.

Don Catarino Hernández Ramos fue uno de los hombres que se inscribieron en dicho programa. De padres campesinos, nació el 30 de abril de 1928 en Santa María del Río, San Luis Potosí. Se fue a Estados Unidos durante la presidencia de Adolfo López Mateos (1958-1964). Estuvo allá cuatro veces en la pizca de algodón desempeñando un arduo trabajo del que no pudo obtener beneficios económicos porque los contratos duraban poco tiempo y el dinero que ganaba sólo le alcanzaba para vivir en lo que conseguía un nuevo contrato.

A don Catarino no le agradó mucho su experiencia como bracero; asegura que se fue sólo porque tenía mucha necesidad económica. Por falta de agua el campo en Santa María estaba en una situación tan precaria que no le daba ni para comer. Para él hubiera sido mejor que el trabajo fuera aquí, a lado de su familia, pero no le quedó otra. En su opinión, nadie debería irse a Estados Unidos a trabajar, porque sólo enriquecemos a otro país y no al nuestro.

[1] Entrevista realizada en dos sesiones, el 1 de diciembre de 2000 y el 3 de febrero de 2001, en Santa María del Río, San Luis Potosí.

* * *

Nací en el municipio de Santa María del Río, mis papás fueron Ceferino Hernández y Susana Ramos, ellos eran también de aquí, de Santa María, soy hijo único, bueno, tengo medios hermanos, o sea que mi papá casó dos veces, y de la última señora, que es Susana Ramos, nada más yo. Vivíamos en una comunidad que se llamaba Sánchez, casi es lo mismo que Santa María; está aquí a unos dos kilómetros, en el mismo municipio.

Estudié en la escuela rural Manuel José Othón, allá en Sánchez, desde los nueve años; antes de esto estaba en mi casa, con mis papás, que se dedicaban a la agricultura, por lo que yo también lo hice desde chiquito. En mi casa vivíamos yo, mi papá, mi mamá y una media hermana. Mis abuelitos eran de allá, de Sánchez, pero yo nomás conocí a mi abuelita de parte de mi mamá, ella se llamaba Modesta de la Cruz, vivía allá cerca de nuestra casa, ya casi no me acuerdo, de eso hace mucho tiempo.

Cuando era niño jugaba con algunos vecinillos por ahí, muchachos igual que yo, a las canicas o algo así, por ahí. En Sánchez no era mucho el ambiente, hasta poca gente había. Teníamos una parcela donde cultivábamos maíz y camote en tiempos de mayo, junio, julio; luego venía el tiempo de invierno y cultivábamos verduras como pepino, jitomate, ejote, frijol, calabaza, entre algotros más, pues lo que se da en la región, o lo que se daba, porque ahora ya no hay agua para eso.

Antes llovía más que ahora, también helaba más; el río se llenaba, a veces había unos quince días en los que no se podía pasar porque era mucha el agua que llevaba el río. Nosotros vivíamos pa' un lado del río y la parcelita la teníamos pa'l otro lado; teníamos que venir a hacer el rodeo a pie hasta el puente para allá, para ir a revisar nuestra parcela, y luego otra vez de regreso para acá.

Yo estuve en la escuela hasta los 14 años; no cursé más estudios que hasta cuarto año, me parece que en cuarto año reprobé, así que tuve que repetir dos años allí... de eso sí me acuerdo. En esa escuela a la que iba estaban unos 30 niños, aunque algunos se quedaban sin estudiar, a pesar de que en ese tiempo lo mandaban a uno a la clase o a la escuela porque a sus papás de uno les decían que si no nos mandaban los iban a multar, haga de cuenta de la autoridad, y casi por miedecillo lo mandaban a uno; no, no estaba la cosa muy desarrollada como ahora.

Cuando dejé de ir a la escuela me dediqué a la agricultura, ahí con mis papás, a seguir a la misma, y aun mientras estábamos en la escuela, a la hora que salíamos, pues vámonos al trabajo, no era de andar vagando, ¡no!, al trabajo, a la labor, en labores chicas; no vaya usted a creer que son terrenos muy grandes, pero de todas maneras había que atender todo eso. Ya cuando crecí, a veces que había un tiempecito trabajaba con otras personas que se dedicaban a lo mismo.

Lo que cosechábamos lo vendíamos en San Luis; se llevaban las cosas en camiones. Había unos dos camiones allá en Sánchez, unos cuatro aquí en Santa María, no había muchos; a veces se llevaba la carga el carro de allá, de Sánchez, o a veces iba el de aquí, y recogía la carga de allá. Los camiones eran del señor José Vega, son el origen de los camiones Potosinos, esos que ahora llevan personas, aunque no eran esa clase de camiones, eran unos camioncillos bien chafitas, carrocerías de madera y todo eso, pues ya se imagina el tiempo, ¿verdad?, no había muchos camiones, no cualquiera los tenía, porque era difícil.

Nosotros trabajábamos los terrenos a medias, y el que era el dueño del terreno se encargaba de irla a vender; nosotros cortábamos la mercancía, la arreglábamos en cajas, la poníamos a la orilla del camino para que pasara el camión y la levantara. La mitad que era para nosotros no sabría decir bien qué pasaba con ella, pues era cosa de mi papá, porque el dueño la llevaba a vender toda junta y según lo que costaba, o en lo que hubiera vendido la mercancía, yo creo que le daría la mitad del dinero a mi papá.

Cuando tenía yo 20 años, en 1948, me casé con una muchacha de aquí de Santa María, ella se llamaba Magdalena Ochoa; la conocí cuando venía con mis papás a comprar lo que se necesitaba para la casa. Antes de casarnos yo venía a verla; aunque anduviera bien cansado del trabajo, me venía en la noche entre semana, no diré que diario, pero muy seguido la veía en su casa, aunque era difícil ver a la novia en ese tiempo, no vaya usted a creer que es como ahora. Antes, cuidado, sus papás de la novia eran mucho muy delicados; salía la muchacha con la mamá y aquí pegadita, no se la andaban soltando a nadie, ni al molino la mandaban sola, era una cosa muy estricta. Para ver la novia no era que aquí y que allá, ¡no!; se comunicaba uno por medio de cartas, ya ni las conozco que haya porque ya ni se necesitan, en ese tiempo sí, había que comprar estampitas para mandarles a escondidas, así era la comunicación. Yo las mandaba a veces con una hermana de mi señora que le hacía al mandadero, y yo le decía: "oye, dale eso a tu hermana".

Yo no le caía muy bien a los papás de ella, más que nada a su mamá; ella no quería que su hija se casara ni con rico ni con pobre ni con nadie, así de serio, y dije yo: "pues no querrá usted, pero ella sí quiere"; eso me lo platicó mi señora después de casados, ya que tenía la confianza. En ese tiempo se acostumbraba que los papás de uno tenían que ir a pedir la novia, y no nomás de palabra, tenía que ir el señor cura a pedirla, y pues tanta era su delicadeza de esas personas que ni al señor cura recibían, así de fácil; si iba, se escondían y nomás no, ya a las dos o tres veces que iba el padre y no la daban, ¡vámonos! Entonces sí se iba, como dicen, se la robaban, aunque pues no se la robaban porque era por su voluntad. Pero si la negaban, los papás le metían sus buenas trompeadas, eran muy delicados.

Lo que le digo yo lo veía en algotras personas, en lo que me tocó a mí sí la dieron, porque al mismo tiempo de que era exigente su mamá, fueron personas muy acercadas a la iglesia, yo creo por eso no se escondieron, pero en otros, ¡no'mbre!

En el 48 nos casamos aquí, en la parroquia. Las bodas, pues, había muchos modos de celebrarlas, el que tenía más billete, pues hacía más fiesta, y el que no tenía, pues se arreglaba ahí un desayunito, un chocolatito, un panecito, si no ¿qué más?, una comidita por ahí, pobre, ¿verdad?, a lo menos. Mis papás así le hicieron, no fue mucho, lo importante era que se arreglara uno bien, por lo civil y por la iglesia, eso era lo que satisfacía a las personas; no como ahora, que nomás por ahí vámonos, y ya no se arreglan a ningún lado; en ese tiempo se salía la muchacha como las que se salían, que dicen, que robadas, ¡no'mbre!, no se acabarían de salir cuando ya estaba la queja en el civil, y ahí iban los papás con el muchacho, y le decían: "bueno, ¿ahora qué?, ¿te vas a casar o qué?", "no, pues sí"; si decía que no, al tambo, porque se tenía que casar, ése era su compromiso.

Con esa esposa, Magdalena, yo no tuve hijos; ella se murió como en el 78, y yo me quedé solo, así que, pues, me la miraba dura. La agricultura la dejé como cinco años después de que me casé con ella. En esa época estaba mal la situación aquí; me quité de la agricultura porque para mí fue infructuoso eso, por lo que un tiempo me dediqué a trabajar de jornalero y, después, como mi esposa y sus papás eran comerciantes, pobremente, ¿verdad?, ella fue la que me hizo que le ayudara y me incorporó al comercio, que es lo que hago hasta hoy día; he vendido de todo, como ahorita vendemos elotes, ya tenemos buen rato.

Cuando fui de bracero vivíamos en una casa prestada, más bien estábamos ahí cuidando una casa, que era del señor Luis Díaz de León; después de eso fui a otra casa prestada, porque duré 12 años sin casa. La segunda casa nos la prestó, más bien se la prestaron a mi suegra, porque mi suegro murió, y ella se arrimó con nosotros, nos la prestó la esposa del señor José Vega, el que era el dueño de los camiones Potosinos, y de allí todavía me cambié a otra más. En eso sí ya compré el solar y construí mi casa, ahí con batallas y en ratos y todo eso, porque yo trabajaba ajeno y propio, y a todo le entraba duro. Trabajaba yo con el papá de una muchacha que después me enlistó para ir al otro lado. El papá ya murió, se llamaba Carlos Meléndez; no recuerdo cómo se llamaba ella, nomás sé que le dicen La Güera, quién sabe si todavía vive, sé que tiene un salón de belleza, su mamá se llamaba María, ellos tenían una cantina, ahí está la cantina todavía, Salón Corona se llama, yo trabajaba con ellos, pero no en la cantina, arreglándoles la casa.

En ese tiempo la situación era mala; por ejemplo, de jornalero ganaba de dos a cinco pesos el día, eso fue más o menos en los cincuenta; además, no había mucho trabajo, por lo que tuve necesidad de ir a Estados Unidos a ver si conseguía algo más por allá, porque ya nada dejaba para vivir. Por eso dije: "pues me voy"; eso fue antes de ser comerciante.

A la presidencia municipal llegaban listas solicitando trabajadores, y pues uno se apuntaba ahí. Bueno, se apuntaban los que llegaban primero. Yo no conocía a nadie que se hubiera ido, por eso yo no sabía cómo iba a ser la cosa por allá. De los mismos de la presidencia se repartían las listas, que al secretario le repartían 10, a otro otros 10, para que a los de su confianza los apuntaran según el número de solicitudes de braceros que tenían que ir. Me acuerdo que en ese tiempo cobraban como 10 pesos, pero no sabía yo si era por apuntarnos o era por una carta de recomendación que nos daba la presidencia. La persona que me animó a ir fue La Güera, ella era de las allegadas a la presidencia, y entonces por influencias de ella me apuntaron, porque yo trabajaba con su papá, y un día ella me dijo: "¿oiga, usted qué?, ¿no se quiere ir?, yo lo apunto", y por ella no me cobraron los 10 pesos.

Decían algunos que para que lo dejaran ir había que tener credencial del PRI, yo veía que algunos ahí la traían. Había mucha gente creída de esa cosa; según ellos, con esa tarjeta, credencial, o como se le llame, tenían más chanzas de que los alistaran o también pa' darse a reconocer por ahí, como no había nada como la credencial de elector para identificarse. Luego, los gringos se burlaban de ellos. Yo llegué a oír que les decían que si eran empleados de gobierno, porque les presentaban la tarjeta o todos los papeles que llevaban; yo no, yo... ¿qué presentaba si no traía eso?, yo nomás la carta de recomendación, ésa sí era muy necesaria.

Cuando uno llegaba a la presidencia, al momento lo apuntaban, y ahí mismo le daban una carta de recomendación de parte de la presidencia. Yo me imagino que esas solicitudes llegaban de alguna compañía de Estados Unidos, porque aquí nada más había el señor que nos guiaba, que era un señor de Tierra Nueva que llevaba gente de allá y de aquí. Nos citaban cierto día para salir, ese día nos reunían a todos y nos íbamos, y pues uno sólo se lleva lo que puede llevar cuando va pa'rriba, no había ni mochilas, sería una bolsita con su ropa, nada más. Nos llevaron en un autobús, primero el recorrido era de aquí a Monterrey. En Monterrey había que esperar, según la cantidad de listas que hubiera; a veces había que estar ahí de tres, cuatro, ocho días esperando que le hablaran ahí en el campo de contratación, a la lista que llevaban de aquí. Ahí, en Monterrey, tenía que llevar uno con que taparle, porque los gastos eran por nuestra cuenta.

Había mucha gente, de distintas partes del país. En Monterrey, ya cuando entraba la lista, nos esperábamos unos cuatro días para ser contratados, aunque había veces que se duraba más, pues en pasar las listas, o no sé, según irían llegando les iban hablando. Para que lo contrataran, uno debía estar en edad de trabajar, era necesario haber trabajado en el campo; a uno le preguntaban en qué trabajaba, jornalero o de campo, y nomás le miraban a uno las manos, si eran de trabajo o no, o si traía los callos; si era de trabajo, ahí pasaba. Había que pasar por varias revisiones, los que las hacían no sé quiénes serían, serían americanos, serían mexicanos o algo así, pero yo creo que ahí había de todo, con tal de ver si era de trabajo o no era, si no era... pues pa'trás.

Ya cuando fuimos contratados, que salimos de ahí, digamos con bien, para ir, de allí nos mandaron en autobuses a Piedras Negras, y de allí había que cruzar el puente para pasar otra revisión. Ahí estaban las oficinas para volver a pasar a firmar papeles, firmas y preguntas y más preguntas, y al final de todo pasar a los rayos X. Luego que pasaba los rayos X, nos hacían aquellas negativas, como retratos, yo creo que las estudiaban y sabían quién estaba bueno y quién no estaba. Sabíamos que el requisito para no ir, conforme a esas negativas o a esos rayos X, era que estuviera malo de los pulmones, o quizás algunos médicos dictaminaban eso, porque había unos que inyectaban, no sé si sería para otra cosa, pero sé que ese era el requisito más exigente... y pues yo sí pasé. Esto fue como en el cincuenta y tantos, por ahí, sólo me acuerdo que estaba de presidente López Mateos, porque él es el único presidente que ha dado permiso para que vayan los mexicanos a trabajar allá.

De Piedras Negras nos llevaron a San Benito, Texas, al otro lado de Matamoros, cerca del río, nos llevaron a instalarnos a un lugar donde habíamos sido solicitados, la cantidad de braceros que íbamos, en un lugar como casa, bueno, al fin no era ni casa, era una galera, porque ahí estábamos muchos. En San Benito estábamos en la pizca de algodón; era muy duro, se cansa uno mucho de estar agachado todo el día, allá nos pagaban por libra pizcada. Por eso, cuando pasamos en Monterrey, una pregunta que le hacían a uno era: "¿en dónde ha trabajado?". Dice uno: "en el algodón". "Bueno, ¿cuántas libras ha pizcado?", y yo como era la primera vez les dije: "no, señor, yo no sé de libras, sé de kilos". "¿Dónde ha pizcado?" "Aquí por Matamoros." Tan sólo esa pregunta quiere decir que ahí se lo agarran, y le miran la camisa, le miran la ropa, le miraban... quizás estaba mintiendo; cuidado con la mentira, donde quiera es mala. Si está diciendo que no ha ido y le están viendo la ropa va pa'trás, o digo iban pa'trás. Y yo les dije, y efectivamente yo nunca había ido, "primera vez que deseo ir, he pizcado, sí, algodón"; entonces: "¿cuántos kilos?". "Según esté la labor, 100 kilos, 120"; eso y más preguntas que ya no recuerdo. Antes había pizcado en Matamoros, allá por donde llaman ahora Valle Hermoso, que en ese tiempo se llamaba 18 de Marzo; era un pueblito, pero aún no estábamos en el pueblo, estábamos en el ejido, por eso cuando fui a Texas ya tenía esa experiencia.

El problema en San Benito era que no hacía uno nada, porque no le daban a uno mucho tiempo, nomás le daban 45 días de estar allá, y pues no hacía uno nada. No había horario, era todo el día; la levantada era a las cinco de la mañana, oscurito en la mañana, vamos, y para llegar en la tarde, ya oscuro, a la casa; era duro.

Ahí, en San Benito, se levantaba, y luego el desayuno, se hacía el lonche para el día pasarlo ahí en la labor. Ahí nos vendían los alimentos; en los ranchos donde uno trabajaba los mismos patrones le tenían a uno tiendas, ponían tienda durante el tiempo que era la pizca, y ahí mismo le vendían a uno, y cada ocho días había que pagar, creo que la comida no costaba más que acá. Ya que desayunábamos, estaban los camiones listos para llevarnos a la labor; a veces estaba cerca, a veces no. A veces duraba una media hora o una hora para llegar a la labor, a veces 20 minutos, según, a veces allí mismo.

Los campos estaban muy grandes, simplemente un surco de algodón media mil metros, y pues para aguantar empinado de punta a punta estaba difícil, cada uno agarraba dos surcos, y el solazo alcanzaba duro, no llevábamos agua, pero cuando salíamos a la orilla, a pesar el algodón, ahí había agua. Sólo llevábamos el lonche, cada cual a la hora que quería hacía descanso para comer. Durante la labor íbamos a pesar, y los que pesaban llevaban una lista: fulano de tal, tantos, tantos, tantos... quién sabe si harían trampa, porque nos pagaban según las libras; ya no me acuerdo a cuánto era por libra, pero ha de haber sido muy bien pagado, aunque a lo mejor era poca la diferencia a lo que nos pagaban aquí en México, en ese tiempo nos pagaban a 20 centavos kilo.

Todo era igual que cuando trabajaba en Matamoros; la única diferencia era que allá la pesa era en kilos y acá, en San Benito, era por libras; se parecía mucho. A lo mejor a mí me escogieron porque ya conocía la pizca, y aunque no fuera eso, o nomás porque era hombre de campo, de trabajo.

Iban algunos jovencitos, de unos 15 a 18 años para arriba, muy chicos no, eso sí, y había puros contratados; el contrato lo hacía uno allá en las oficinas de, pues sabe cómo se llamará, de migración, no sé, era pasando el puente; las firmas empezaban desde Monterrey, allí era un jale, y allá pasando el río otro, esos contratos decían que íbamos a trabajar nomás por 45 días. Ya estando de aquel lado, el patrón llegaba y decía necesito 100, 200, según su cantidad de trabajo, y agarraba, así, parejo.

Yo trabajaba los 45 días, y me venía con mi dinero, poco, lo que fuera; cuando llegaba aquí, pues, el dinero no rendía mucho, se nos acababa de volada, porque en 45 días no era mucho dinero el que podíamos conseguir. La verdad es que a pesar de eso, nunca pensé en quedarme por allá, porque lo buscaban a uno hasta que lo hallaran; así como lo reciben ahí, así lo tienen que entregar. Para regresarnos era el mismo recorrido, nomás ya no pasábamos por las oficinas, nomás llegando allá, a aquel lado del río, uno se formaba y estaban registrándolo en sus listas. Ya, de ahí, cada quien por su cuenta. Era caro venirse, pero pues era igual que saliera, uno se venía, ¿qué hacía uno?, tenía que tomar un autobús y venirse hasta el lugar de origen. Yo me venía en un autobús, primero de Piedras Negras a Monterrey y de ahí otro para San Luis y el otro acá a Santa María, y pues se hacía un buen rato.

Yo me fui a las braceradas cuatro veces, la primera vez fue la de San Benito, Texas, de ahí me regresé yo y mis demás compañeros; cuando regresamos, pues ya sabe, la familia muy contenta, y pues les decía que nos había ido bien, que ya habíamos venido, con eso bastaba, pues ¿qué más? Después me volví a ir, nomás pa' ver si a la otra... y así anduvimos otras tres veces. Como le decía, la primera fue la de San Benito, Texas, luego fuimos a La Mesa, Texas, y luego, la otra vez fuimos a Arkansas, sí, es más adentro, es lo más lejos que llegué en Estados Unidos, y la otra... no me acuerdo, pero fueron cuatro, yo pienso que la cuarta fue la de Arkansas, y todas al algodón, por medio de los programas estos de braceros.

Luego, ya que me regresé, pues ya no quise volver. Bueno, sí siguió habiendo todavía eso de los braceros, y hasta más lejos se iban; pero para nosotros los pobres ya no había chanza de ir, porque tal parece que... así como le digo que le daban 10 a una persona, otros 10 a otra del municipio, ésos ya cobraban más dinero o mordida, como le llaman, y pues yo no tenía forma de pagar, entonces sólo iban los que tenían menos necesidad, los que tenemos más ya no fuimos... así es y así era en ese tiempo. A lo mejor me hubiera gustado regresar, cuando tenía edad para eso, pero ya no se pudo.

Aunque la verdad es que allá nos iba más o menos, además de que era poco el tiempo, trabajábamos todos los días, menos los domingos, y el que quería trabajar, pues que trabajara; me imagino que les pagaban un poquito más el día. Bueno, de eso yo no sé porque yo nunca trabajé en domingo. El domingo era descanso, lavaba uno su ropa, hacía de comer, descansaba, pa' estar listo el lunes. No sobraba tiempo para hacer nada más, y luego nos llevaban al pueblo, así que en eso se iba el día; ya regresábamos del pueblo como al atardecer.

Nos hubiera gustado poder ir a misa los domingos, pero no había dónde. Había lugares, pero no sabíamos ni a dónde estaba el templo católico al cual debíamos ir, allá había o hay templos, pero son de otras sectas, son los que están en el centro de la ciudad, como decir aquí la parroquia, y allí pues nomás no. Íbamos al pueblo, digamos, nos llevaban los mismos contratistas, nos llevaban y nos daban algo para identificarnos que éramos braceros para que no nos fueran a detener las autoridades.

Yo nunca supe que alguien se enfermara, ninguno de los compañeros que íbamos, pues yo creo que lo curaban, pues qué más.

Cuando regresé me dediqué a la misma, en tiempos a la obra, de peón, porque a albañil no llegaba, y a trabajar como todos. Porque se pusieron muy duras las contrataciones; aquí, la apuntada, sólo el que tenía con qué pagar la mordida iba, y el que no pues ahí se queda, pues ya la cosa ahí no jaló bien porque simplemente la idea era de proteger a los más pobres, y ya después mejor llevaban a los más riquillos, digo, pues, no ricos, pero los que más o menos podían pagar.

Mi hijo nunca ha tratado de irse; eso es bueno, aunque ya queriendo irse, yo no le puedo decir nada; en mi familia a nadie le ha dado por irse a Estados Unidos, no porque no haya necesidad, sino porque está muy peligroso irse para el otro lado.

El trabajo era de mayo en adelante, en la época de cosecha. Mi experiencia fue dura, pues el trabajo es duro siempre, y peor cuando subía el calor muy fuerte, pero igual había que trabajar. Bueno, es duro, pero como tiene uno su edad, está impuesto a trabajar en el campo, en el sol, y aunque se le ponga a uno un poquito más duro aguanta; si yo ahorita fuera, pues me quedo tirado antes de que llegue allí. No queda otra para uno de pobre, pues lo ponen a lo que está más duro, ¿a poco lo van a poner en una oficina?, pues si tampoco da el kilo ahí.

En ese tiempo me hubiera gustado más trabajar aquí, porque está uno con su familia, y por allá está muy aislado, aunque los patrones se portaban bien con uno. Así tenía que ser, estábamos a su responsabilidad, así como nos recibían tenían que entregarnos, era compromiso de ellos.

Cuando regresábamos no podíamos traer nada para acá, porque no nos dejaban pasarlo; por ejemplo, para su esposa usted le traería ropa, ¿verdad?, era lo que menos dejaban pasar, sólo si era usada, si quería traer uno ropa, hasta para uno mismo, tenía que ponerse una sobre de otra; también dejaban pasar cosas usadas, un radio, una máquina de coser, pero no nueva; yo, pues no me traje nada, imagínese desde allá cargando tamaño bulto, apenas su cajita de cartón con sus garritas que traía y listo, era mucha aglomeración para venirse

Y luego, mi mujer, pues, aunque no le gustaba que me fuera, no estaba yo a lo que ella dijera, nos poníamos de acuerdo, y "¿sabes qué?... pues hay que ir". Había necesidad, no era que fuera por gusto, había necesidad de buscarle, ella ya sabía que siempre le buscábamos, y era lo mismo, mejor se convencía y me decía "vete".

Cuando yo regresaba, luego me andaban preguntando que cómo es allá, y pues cualquiera puede preguntar, pero yo les decía y les digo todavía que los poquitos días que estuve ahí a mí no me gustó; por ahí, donde anduve, ni pa' morirme, vaya; por ley, su tierra de uno, será idea mía, o no sé, otros pensarán diferente, pero eso pienso yo.

Allá se tocaba la misma música de aquí, porque Texas está cerca, si oía usted una sinfonola estaba tocando música mexicana. Allá no vivía gente mexicana, nomás de la misma gente que iba, porque el que era contratado se tenía que regresar, pero por el tiempo que estábamos allá se veía así, como si anduviéramos aquí, toda la gente aquí el día domingo; a lo mejor eso hacía que fuera menos difícil estar allá. Era mucha la gente, en una pasada que yo fui, fue de cinco mil personas, no sé si más pasarían o si otro día pasarían más o pasarían menos, pero era de todos los días el pasar, así se hacía mucha gente.

De regreso, ya cuando venía uno de allá para acá en el puente, nomás lo miraban a uno, y nos daban las llamadas micas; creo que ya hasta estaban como acomodaditas, así rápido nos las iban dando. A todos nos dieron una, yo no sé bien para qué eran; según eso, para que en otra vez que fuera presentara la mica, pos no sé si sería para identificarse de que sí había ido y de que había cumplido con su trabajo, algo así por ahí, yo no tuve explicación, para qué, pero a todos nos dieron; a mí, de todos modos, nunca me sirvió para nada, yo la guardé y por ahí estará, yo creo.

Con mi primera esposa no tuve hijos, y desde hace 20 años estoy casado con mi segunda señora. La familia de mi segunda esposa no es de aquí, es de San José, también ahí es municipio de Santa María del Río, y se vinieron aquí a trabajar, y entonces nos fuimos conociendo poquito a poco, no fue tan difícil como con la familia de mi primera esposa. Mi segunda esposa se llama Juana Martínez Martínez, y en esta segunda vez... pues otra vez a casarse por la iglesia, por lo civil, sí, porque yo nunca he tenido corazón de estar nomás así. Con esta señora tuve cuatro hijos, tres mujeres y un hijo; la más grande se llama María de los Ángeles, la otra es Yolanda Hernández Martínez, desde luego, el muchacho se llama Abel, con sus mismos apellidos, y la más chica una niña llamada María del Rosario. Ya no sé decir cuántos años tienen, creo que la más grande tiene más de 20, la otra tendrá unos 17, el joven tendrá unos 15, por ahí, y la más chica, pues ha de tener, más o menos, unos 12, yo ya no recuerdo, solamente viendo sus boletas.

Mi hija mayor ya está casada, su esposo trabaja en la Coca, en la distribuidora de aquí de Santa María, anda de repartidor o de lo que se ofrezca ahí, a veces lo dejan de velador, y pues a todo le echa ganas ahí. La que sigue trabaja en una zapatería. El muchacho ahorita se me fue, está fuera de aquí, anda por Jalisco, trabajando, me habla cada 15 días, dice que trabaja con esas personas que hacen pozos para que brote el agua. Él estuvo en la escuela, y ya que salió se puso a trabajar, trabajaba con uno de una carnicería, nomás que en eso vinieron unos primos de él que estaban en Autlán, Jalisco, y se calentó y se fue con ellos. Luego, la niña más chica está en la secundaria aquí, en Santa María.

Yo creo que allá del otro lado era como aquí, no sabe uno ni quién es quién, pero sabe que esos son mexicanos, por eso nos llevábamos bien entre todos; además, pues todos van con el mismo ideal de trabajo, y tal parece que ya saliendo de su tierra de origen se ve uno mejor que aquí en su tierra, o sea como que se sienten más unidos; bueno, a lo menos lo que me tocó a mí.

Estaba bien que hiciera eso el gobierno de México y el presidente, porque digamos él dejó que pasaran migrantes, y yo creo que estaría mejor que ahora se pudiera, porque ya ve cómo vienen por ahí en un cajón de allá para acá, por ir de contrabando, igual el gobierno de Estados Unidos; aunque para mí fue igual, trabajo allá, trabajo aquí, pues si se llevan a uno de pobre todo el tiempo, a donde quieran se va, aquí mismo en México, a trabajar, no queda de otra.

A los que se quieren ir y que me preguntan, yo no les digo nada, no me gusta. Yo nunca aconsejé mal a nadie; total, si tiene con qué irse, que se vaya, no me gusta hacer ese tipo de cosas. Aunque sí me gustaría que la gente que se quiera ir mejor intente conseguirse algo aquí en México, y que no vayan a exponer la vida por allá. México necesita su gente para seguir adelante y progresar, ¿verdad? Porque, pues, van a engrandecer a otro país que no es el propio, van a buscar lo que no han encontrado, y más bien es que no han buscado bien. Yo creo que más bien es como dicen, van a buscar otros ambientes, y lo malo es que por allá ellos con su trabajo van a engrandecer otro país, es mejor engrandecer el propio, pero, bueno, todos tenemos libertad de darle para donde nos parece, ¿verdad? Somos libres para pensar y para decidir todo eso. Y pues ahí está mi historia. Bueno, de lo que me acuerdo; aunque, eso sí, no es lo mismo que aquí lo escribieron a que yo fui a jalar de a de veras.

Migración indocumentada

Everardo Blanco Livera
Yetiani Sepúlveda Moncada

Están en el camino. Todo el tiempo. Siempre llegando. Partiendo constantemente. Tantos destinos como puntos de salida. Todos mojados. Sus espaldas húmedas, sudadas, todos *wetbacks*, bañados en las aguas de un río, en el que sus sueños y sus cuerpos pudieron ahogarse. Su pasado está conectado con su futuro. Todos indocumentados o "ilegales", mexicanos y chicanos, blancos, negros, amarillos o morenos; clase obrera, clase media, clase campesina. Porque todos vivimos en la Edad de la Migración, cuando no importa mucho si tú, lector, has emigrado o no lo has hecho; quien está a tu lado ya lo ha hecho.

El éxodo de mexicanos a la "tierra de las oportunidades" tiene viejos antecedentes en una basta porción del territorio nacional. Asimismo, a lo largo de este proceso migratorio han habido diferentes calificativos a este fenómeno en ambos lados de la frontera.

En este apartado se presentarán las historias de cinco migrantes del estado de San Luis Potosí que para llegar a Estados Unidos han tenido que cruzar las corrientes del río Bravo, por lo cual se les denomina "mojados".

Después del fin del Programa Bracero (1942-1964), la migración de México hacia Estados Unidos no terminó, sino que tuvo algunos cambios, y el flujo de mexicanos siguió siendo intenso y acelerado. Aunque Estados Unidos hizo algunos intentos para restringir la inmigración mexicana, el número de inmigrantes legales pasó de 38 mil en 1964, a 67 mil en 1986; y en el mismo periodo el número de inmigrantes indocumentados creció de 87 mil a varios millones por año. De esta manera, el proceso migratorio siguió su curso.

El periodo de la migración indocumentada abarcó precisamente los 22 años que transcurrieron de 1964 a 1986, periodo en el que cambió la forma de denominar a los braceros y la condición de éstos; entonces eran ilegales, y se distinguían dos modalidades: los "mojados", que cruzaban las corrientes del río Bravo, y los "alambristas", que se escabullían por debajo o por encima de la malla de alambre que recorría algunas partes de la frontera a pocos metros de una patrulla fronteriza. También surgieron los "micaelos", aquellos que habían obtenido una mica, un permiso de trabajo que les permitía pasar libremente por los puestos fronterizos.

Con el tiempo y la necesidad se pusieron en práctica distintos modos de entrar de manera ilegal en Estados Unidos, y cada historia migratoria muestra un de estos modos. Se pueden distinguir cuatro soluciones muy socorridas por los mexicanos para cruzar la frontera: con los servicios de un "coyote", por cuenta propia, con documentos falsos y una combinación de métodos legales e ilegales.

La migración indocumentada no ha ocurrido sólo en este periodo; desde que inició el proceso se han evadido los controles o requisitos formales para cruzar la frontera, pero se ha multiplicado el número de migrantes indocumentados, lo cual confiere importancia a esta etapa y por ello se le denomina de migración indocumentada.

La era de los indocumentados concluyó en 1986, cuando apareció la ley conocida como Simpson-Rodino (IRCA). A partir de entonces, muchos mojados y alambristas se convirtieron en "rodinos", en alusión a esta ley cuyo nombre lleva el apellido de uno de los senadores que la promovieron. Así les llaman desde entonces a los 2.3 millones de mexicanos favorecidos por las dos modalidades de amnistía y trabajadores agrícolas especiales implicadas en dicha ley.

En nuestros días, aunque la etapa de los indocumentados haya terminado, siguen cruzando la frontera miles de mexicanos de manera ilegal. Es por eso que las historias presentadas en este apartado se han incluido en dicha etapa, aunque alguna no pertenezca a ella, y también porque son de quienes tuvieron que cruzar el río para poder llegar a su destino.

En la etapa de migración indocumentada, la mayoría de los "mojados" eran varones, por los riesgos inherentes a este tipo de migración; no obstante, esta etapa se caracterizó por la mayor participación femenina respecto a épocas anteriores. En la actualidad este tipo de migración también es practicada en gran medida por las mujeres, e infortunadamente en las listas de los muertos y desaparecidos por cruzar el río también hay nombres de mujeres.

Los costos y riesgos para un "mojado" son muchos, en algunos casos, hasta la vida. En 2001 se estimaba que una persona debía pagar entre 800 y mil dólares por cruzar la frontera, cantidad que, la mayoría de las veces, los "mojados", por su mala situación económica, debían pedir prestada a algún familiar radicado en Estados Unidos, o aun a los "coyotes"; préstamo que pagarían con los primeros sueldos recibidos por sus trabajos en Estados Unidos.

Muchas veces, los costos son pocos en comparación con los riesgos que corren los "mojados". Dependiendo del lugar de origen, la primera parte del trayecto hacia la frontera la realizan en camiones o camionetas; después, generalmente en las noches, cruzan el río.

Hoy, los migrantes indocumentados continúan sorteando todo tipo de dificultades debido a las diversas medidas que Estados Unidos ha impuesto para tratar de detener su flujo.

El hecho de que Estados Unidos esté endureciendo los controles fronterizos en las zonas de cruce ha obligado a los mexicanos a recorrer zonas más inhóspitas, como el desierto, lo cual ha provocado un incremento en el índice de muertes. Y aun después de haber superado todos estos obstáculos, el "mojado" vive siempre dependiente de su condición de indocumentado; no tiene mucha libertad de movimiento, por los riesgos de ser capturado y deportado; no tiene derechos ni prestaciones, tiene que aceptar los trabajos que encuentra o que le encuentran sin aspirar a más; no es sujeto de crédito y, además, es víctima de discriminación hasta de otros migrantes.

Estas son algunas características comunes entre los migrantes indocumentados, que el lector observará en cada una de las historias presentadas en este apartado, además de otros elementos que le ayudarán a tener mayor conocimiento del fenómeno migratorio.

NO ES LLEGAR, ESTAR Y BARRER DINERO[1]

Everardo Blanco Livera

Cuando la emoción se adueña de uno, no puede ser ocultada. El sentir que la experiencia vivida puede ser útil, que puede ser importante, se percibe en el entrevistado; las manos y la sonrisa nerviosas de José Santana Aronia Hernández así lo expresan, más que sus escuetos primeros comentarios

La cita fue a las nueve de la noche en su casa, al norte de la ciudad de San Luis Potosí. Me recibió con una cordialidad que no esperaba. Hablamos sobre lo agradable que estaba el clima y el modo en que se llevaría a cabo la entrevista. Después de tomar aire me dijo que estaba listo.

Eran las 9:15 de la noche, ante una taza de café, me encontraba listo para escuchar la historia. Era tiempo de iniciar el viaje a aquella época en que José vivía en el rancho de Colorada, Mexquitic de Carmona, San Luis Potosí, con su familia, de pocos recursos económicos, compuesta por 17 hermanos y sus padres. Era el momento de rememorar esas circunstancias en las que no parece difícil tomar la decisión de arriesgarse a cruzar las aguas del río Bravo en busca de oportunidades de una vida mejor en Estados Unidos, oportunidades que José no vislumbraba en su tierra.

* * *

De chico tuve la fortuna de ir a la primaria y secundaria, pero no terminé la secundaria por falta de recursos; aunque mi papá tenía su trabajo estable, éramos bastantes de familia, fuimos 17 hermanos. Me salí cuando ya iba a terminar la secundaria, fue en tercer año. Después me la pasé cuidando algunos borregos que tenía mi papá y unos becerritos.

[1] Entrevista realizada el 4 de diciembre de 2000 y el 12 de febrero de 2001, en la casa del migrante; se cuenta con la grabación respectiva.

A la edad de 16 años empecé a trabajar en la obra, de ayudante de albañil; pero, en realidad, estaba muy difícil ese trabajo, y veía completamente todo cerrado, que no había posibilidades de por donde salir en ese trabajo. Estaba con la inquietud y el deseo de ser, de tratar de sobresalir; no estaba conforme. Además, desde como a los 13 años ya oía rumores de Estados Unidos, y veía que les iba bien a quienes andaban por allá, que ganaban bien. El más cercano que conocía era mi cuñado, Juan Ramírez, quien había pasado unas tres, cuatro veces, y le dije que me ayudara, que me echara la mano, para llegar yo también allá.

Se lo comenté a mi mamá, pues no tenía mucha confianza de comentárselo a mi papá, que era más enérgico, y me valí de ella y le dije que me consiguiera dinero. Ella le comentó a mi papá y a mi hermano mayor, quienes me dieron la esperanza de conseguirme el dinero, pero no era seguro. Se llegó el día en que me dijo mi cuñado que al otro día nos íbamos. Le dije a mi mamá: "ya mañana nos vamos a ir, ya me dijo Juan que mañana vamos a salir, y necesito el dinero". Muy triste me dijo que habían conseguido una parte, que ella lo tenía, y pues yo ya estaba confiado de lo que me habían conseguido, pero aún era poco, eran mil pesos, y se necesitaban más de mil, eso me había dicho mi cuñado. Por eso fui con otro cuñado y le pedí 300 pesos prestados a cambio de que le dejara mi reloj, y sí, sí me los facilitó.

El día que íbamos a salir anduve buscando a mi mamá porque se había medio escondido, andaba por allá juntando leña; la encontré y le dije que necesitaba el dinero, me preguntó que si de veras me iba a ir, y le dije que sí. Se quedó triste porque nadie había salido de mi familia, aunque éramos muchos, nadie había salido fueras a trabajar. Uno se va dolido sentimentalmente, quieres irte, pero no quieres dejar a tus padres, a tu familia, y de hecho tienes que dar la espalda y no voltear, no voltear y seguir el camino. Esto fue cuando tenía 19 años de edad, en el mes de marzo de 1976.

Y agarramos camino. Pasamos por otro amigo que también tenía deseos de irse, y sí se nos unió. Salimos a la carretera y tomamos un camión para trasladarnos a la central de autobuses de San Luis. Ya en la central no fue difícil conseguir boleto, lo conseguimos enseguida, y salimos rumbo a Piedras Negras, Coahuila. Salimos de la central como a las nueve de la noche, y llegamos allá como a las ocho o nueve de la mañana. Llegando fuimos a almorzar, y pues estábamos emocionados, sientes algo adentro, como que parecen cosquillitas de la emoción y del temor de lo que no conoces.

Almorzamos, y de ahí nos fuimos a buscar donde hospedarnos; eran como las 11 o 12 del día, y nos quedamos en un hotelito económico a donde llegan los que van con nuestra intención y que no llevan suficientes recursos, sino nada más algo para pasar el rato e intentar llegar a Estados Unidos. Recuerdo que llegué con unas ganas de echarme un baño, y en el hotelito, ¡pura agua fría!

En la tarde nos dedicamos a explorar para ver qué oíamos de los "coyotes". Y pues se oyen muchos comentarios, que éste es bueno, que éste también, y así nos pasamos la tarde en la plaza de Piedras Negras. Ahí nos encontramos con que la mayor parte de la gente que andaba eran los que iban a intentar pasar del otro lado.

En realidad es una suerte al que le toca un buen "coyote", por la razón de que otros, pasando o antes del río, te llevan a partes solitarias, y lo hacen con la intención de quitarte lo poco que llevas y de golpearte; pero en esta ocasión a nosotros sí nos orientaron bien. Nos dieron el nombre de un pueblito en donde estaba un "coyote" al que le decían Chives, parece que el pueblito se llamaba Carrizo; llegamos a la calle que nos dieron y al número, era una casita de adobe tapada con láminas, tocamos y preguntamos por Chives; salió una viejecita y nos dijo que en ese momento su hijo no estaba pero que lo podíamos esperar. Lo esperamos, y era un muchacho como de unos 22 años, medio barbado, moreno, y nos dijo: "miren, yo no soy el mero mero, pero yo los llevo al río, ahí llega quien los pasa, y él se hace cargo de ustedes". Le preguntamos que para cuándo era la salida, y nos contestó que "no, ahorita no porque acaba de irse con un viaje".

Ahí estuvimos alojados con la mamá del "coyote"; estuvimos de unos tres a cinco días. Nos daban de comer, y aunque no era una comida muy espléndida, por lo menos sí nos ayudó para aguantar. No nos cobraban, todo iba incluido en el cobro que nos iban a hacer una vez que nos cruzaran y recibiéramos dinero.

Llegó el día en que iban a llevar otro viaje, y nosotros ya estábamos preparados. Chives nos dijo: "miren, mañana viene el 'coyote' para llevar gente. Ustedes van a salir ya, nada más alístense". Al otro día llegó el "coyote" con un carro lleno de gente mexicana; a nosotros nos tocó irnos con Chives en otro carro, que ya llevaba otras seis personas aparte de nosotros tres. Llegamos a una parte de Carrizo, una parte solitaria, y creo que bien estudiada por ellos para utilizarla como paso; llegamos y ya no éramos los nueve que íbamos en el carro, sino que éramos 21, yo hasta me sorprendí, como no sabe uno, de que tantos fuéramos a pasar.

El Chives nos dijo: "bueno, entonces ustedes aquí se quedan. Miren, aquí está el 'coyote'". Ya era otro, era un cuate grandote, de tejana, unas botonas tremendas, vestido de vaquero, de *cowboy*; él luego luego se empezó a quitar la camisa, el pantalón y las botas, las hizo maleta y todos hicimos lo mismo. Nos dijo que nos agarráramos de la mano; él iba adelante, y agarró a otro de nosotros de la mano, él iba caminando y nosotros íbamos siguiéndole los pasos. El agua primero nos dio a los tobillos y después fue subiendo hasta la altura del pecho, y pues se cruzó bien porque ellos tenían ya su señalamiento por donde caminar. Ya en el otro lado nos volvimos a vestir, y a caminar.

Del otro lado está muy lleno de carrizo, carrizo grande; el carrizo es una planta que parece caña, como maíz, pero crece grande y es medio sólido el tallo. Pasamos y había como un túnel; los carrizos entrelazados y el túnel en medio. Por ahí nos fuimos. Todos teníamos que pisar en la misma huella que el "coyote" ponía. Pasamos, y llegamos a unas cercas de alambre que dividen a los ranchos y que uno tiene que brincar, son de alambre de púa, y si no se tiene cuidado se rasga hasta la piel, se hiere; a mí me tocó quedarme atorado, estuve jalando el pantalón y se rompió, y pues a seguir caminando.

Llegamos a una carretera y la íbamos a cruzar. Nos dio instrucciones: "¿saben qué?, que vamos a pasar corriendo, en cuanto no venga ningún carro vamos a cruzar y a tirarnos de maroma entre el pasto", un pasto de como un metro de alto. Éramos 22 y, de repente, uno sentía que se perdía de los otros al ir rodando. Ya después nos dijeron que nos reuniéramos con los demás, y nos dimos cuenta de que íbamos unidos otra vez, después de que uno se veía solo y tirado entre el pasto. Llegamos como a las tres de la mañana a esa parte donde nos iban a recoger otros señores, al otro lado del pueblo de Eagle Pass, Texas, al que habíamos rodeado nada más.

Estuvimos como una hora esperando a que llegara un carro; ya estaba una camioneta estacionada, pero estábamos esperando a otro carro para abordar y seguir. Llegó la hora en que se comunicaron, apareció el carro, y a subirnos al carro y a la camioneta; a mí me tocó en la camioneta, parece que íbamos 12 tirados en el piso, era una camioneta sin *camper* ni nada, a mí me tocó en la mera orilla de atrás. Íbamos tranquilos, y de pronto que gritan: "¡aguas, nos sigue la migra!". No pues el cuate que llevaba la camioneta le aceleró y en el lado en que yo iba a la orilla se levantaba la parte de atrás de la camioneta, la puertecita esa, y sentí muy feo porque cada vez que se levantaba la puertecita yo miraba ya la tierra y sentía que iba a salirme. Además, el otro hombre que iba arriba de mí tenía los codos bien clavados en mi pecho, y pues tener que aguantar. Se arrancó a toda velocidad ese cuate, y el carro de la migración iba detrás de nosotros. Llegamos a una loma que no estaba muy grande, subimos fuerte, y nomás se esperó a bajar y dio la vuelta, nomás dio la vuelta y subió otra vez la loma, y bajando nos encontramos con el carro de la migración, pero el carro de la migración iba siguiendo la camioneta que iba de escapada, y nosotros ya veníamos de regreso. Eso nos dio tiempo suficiente de llegar a un monte, ahí bajarnos rápido de la camioneta y meternos entre el monte, y ya la camioneta se fue vacía.

Regresaron después, como a las diez de la mañana, por nosotros. Nos habíamos quedado en el monte, y qué descansar, si simplemente con ver los pirules ahí grandotes y las pieles de víboras de cascabel seguiditas, porque estaban cambiando pieles, y no caminabas ni treinta metros y veías el cambio de piel de las víboras, y adelante otra, y así. Esa vez nos tocó suerte.

Regresó el "coyote" por nosotros y nos pasó por mitad de Uvalde, a mitad de pueblo, y nosotros viendo los postes con sus lámparas ahí volteados hacia arriba. Pasaban los traileros, nos veían y nomás movían la cabeza. Llegamos al monte otra vez, pues nos llevaron al otro lado de Uvalde, a un monte. Había unos jacales de láminas ya todas corroídas, unos catres, pero ya bien destruidos, y salía lo contrario de querer descansar, no descansaba uno porque se sentaba y se le subían todas las chinches, había chinches de a montón, ¡vaya que sí, sí que comían cuando llegaba gente! Sería como la una de la tarde o las 12, y ya teníamos un hambre tremenda, de ésas cuando los intestinos empiezan a tronar por un lado y por otro. Algunos decían: "no pues ahora nos aguantamos, para qué no guardamos algo de lo que comimos ayer".

Regresó el "coyote" con una lata de frijoles de como tres kilos y unas barras de pan, también dos galones de leche; agarramos algunas latas que encontrábamos por ahí tiradas y nos servían para servirnos los frijoles. Pero nosotros con todo el estómago vacío y comiendo frijoles, pan y leche, no, pues nos purgaron, y todos a buscar dónde en el monte, unos para acá y otros para allá.

Empezaron a salir los que tenían quien respondiera por ellos, el "coyote" los llevaba; ellos le daban el domicilio a los "coyotes", y los "coyotes" hablaban al teléfono que les proporcionaban, y contestaban allá: "Aquí está fulano de tal". "Pues tráiganlo para acá." Así estuvieron saliendo todos. El amigo, mi cuñado y yo fuimos los únicos que nos quedamos. Pasó un rato, y uno ya todo agüitado y sin dinero, yo traía como 20 o 30 dólares nada más. Llegó el jefe de los "coyotes" y nos preguntó: "¿Y ustedes?". Le contestamos que nosotros estábamos esperando a ver quién necesitaba trabajadores y que respondiera por nosotros, que nosotros le trabajábamos. "Ah, pues espérense", nos dijo.

Dieron las cinco, las seis y las ocho, las nueve y como a las 10 de la noche fue por nosotros y nos dijo: "Pues ya salió quien va a pagar por ustedes, necesitan trabajadores". Nada más eso dijo y no mencionó ni en dónde ni de qué. De ahí nos fuimos en una camioneta y llegamos a donde él vivía en Uvalde, nos dijo que nos metiéramos debajo de la casa, que se encontraba elevada como medio metro del piso; ahí nos metimos, y todo lleno de agua; lo bueno es que mi cuñado ya sabía, y por eso llevaba un hule, y me había dicho que también me llevara uno, y cuando estábamos llegando a donde estaba todo húmedo extendíamos el hule.

Pasaron como unas dos horas, bajó y nos dijo: "ya vámonos". Nos volvimos a subir a la camioneta de él, del "coyote" mayor; ya iban ahí otras seis gentes, y estuvimos viajando toda la noche y todo el día. Yo no sabía, pero sí fue mucho tiempo el que estuvimos viajando. El "coyote" manejaba un rato, y luego una mujer otro, solamente nos detuvimos una vez a tomar gasolina. Ahí, algunos de los que iban con nosotros se quedaron en unos trabajos, también se quedó el amigo que iba con nosotros, luego nos dieron un lonche, que fue un refresco y un sándwich. Terminamos, y otra vez a continuar.

Eran como las siete de la tarde cuando llegamos a esa parte donde iban a responder por nosotros, y dijo: "bueno, aquí a ver quién se queda; bájense". Al bajarnos lo examinan a uno, te ponen para que te escojan; entonces, un gringo nos escogió a mí y a mi cuñado, pero sin saber que éramos familiares, porque no quieren a familiares juntos. Ahí nos dimos cuenta de que estábamos en Louisiana.

Nos llevaron al área de trabajo, que eran granjas de pollo, donde nos ocuparon hasta las 10 de la noche, pero ese día nomás viendo cómo se hacía el trabajo, que consistía en meter a los pollos, que traían en trailers, en canastillas. Teníamos que agarrar cinco pollos en cada mano y la necesidad te hace aprender a hacerlo, pero los pollos te hacen unos arañones, te hieren. Los gringos le daban la comida a uno. Lo que nos daban eran papas, harina y frijol nada más. Aunque íbamos de México, de San Luis, y aunque éramos muchos de familia, no comíamos tan mal, eso me dio a pensar: "y esto es Estados Unidos". Mi cuñado tampoco estaba contento.

Trabajamos un mes gratis porque teníamos que recuperar lo que el "coyote" había pagado, habían sido 120 dólares de ese tiempo. La primera quincena no nos pagaron, la segunda tampoco, en la tercera fue cuando recibimos 90 dólares. Creían que nos estaban pagando mucho, pues como ellos nos daban la comida decían que el dinero nos quedaba libre. Vivimos ese tiempo en unos jacalitos que ellos mismos habían hecho.

Nosotros ya no nos sentíamos a gusto, y entonces mi cuñado caminó como un kilómetro y llegó a la casa de unos negros americanos; llegó a solicitarles que le ayudarán porque nos estaba yendo muy mal, que nos sentíamos mal. Les pidió que le prestaran el teléfono para hablar a un "coyote". Todos los que van siempre cargan su agenda con de perdida 10 nombres de "coyotes" que consiguen, dado el caso que necesiten, para ver con cuál pega. Estuvo llamando, y con el último que llamó fue con el que pegó. Se acordó con el "coyote" que a las seis de la mañana nos veíamos, al día siguiente. Le pregunté a mi cuñado que cuánto nos iba a cobrar, y me dijo que 110 dólares por cada uno. Habíamos rayado 90 dólares, pero yo traía otros 20 dólares del dinero que aún me quedaba.

Ya no fuimos a trabajar ese día. Otro señor que era de Ahualulco nos quiso seguir. El gringo fue a buscarnos para llevarnos a trabajar y ya no nos encontró. Eran como las diez de la noche, y en el monte nosotros; me dijo mi cuñado: "¿y ahora qué hacemos? No hemos comido...". Nos fuimos como a las 12 de la noche rumbo a la casa donde vivían los negros, por donde había quedado de llegar el "coyote"; ahí estábamos esperando al "coyote", y en eso se vino un aguacero tremendo, pero tremendo, de esos que en un ratito hacen mucha agua, que se quitó como a las tres de la mañana. Dieron las seis de la mañana, las siete, las ocho, y el "coyote" no llegaba. El otro compa que nos acompañó estaba ya desesperado, decía que él se quería regresar y pedirle perdón al gringo para que le volviera a dar trabajo. Mi cuñado pensaba en que si el "coyote" no llegaba, debíamos buscar la manera de llegar a una central de autobuses ahí en Louisiana para buscarle hacia Texas. Como a las 10 de la mañana llegó el "coyote". Nos preguntó que a dónde queríamos ir, le dijimos que a Dallas, Texas. Ellos ya tienen todo bien conocido, se guían por medio de mapas, y se saben hasta los rinconcitos más escondidos. El "coyote" todo el tiempo estuvo comunicándose con los demás que también traían radio para que le dijeran dónde estaba la migración.

Llegamos con unos amigos, también de Ahualulco, conocidos del otro señor, que ya tenían tiempo ahí. Estuvimos como un día; después nos comunicamos con un conocido de mi cuñado que fue por nosotros y nos quedamos con él. Anduvimos como unos 15 días sin trabajo. Me salía a la calle con ganas de que la migración me agarrara y ya me echaran para acá, pues se desespera uno de no tener trabajo.

Después fuimos a ver a un señor Silva –no se me olvida–, y él nos dijo que nos iba a conseguir trabajo, que no nos desesperáramos. Él trabajaba en una fábrica donde se hacían piezas de avión, y ya tenía 15 años ahí. Nos tuvo como cuatro días en su casa, nos alojó y nos daba de comer. Nos consiguió trabajo en Fort Worth, con él, pintando piezas de avión, pero sólo fueron como 10 días, porque después el dueño de la fábrica nos dijo que sí nos ocupaba, pero que en otro trabajo. Una avioneta nos llevó como 40 minutos volando y llegamos a donde había un lago, era como una playa, pero no estaba muy explotada todavía. Nos llevó a desmontar, a limpiar todo el terreno que era de él, a quitar plantas y limpiar de piedras, a cortar el zacate que estaba grande y nos facilitó un tractorcito para cortarlo. Estaba muy grande ahí. La bajada de la avioneta también se la estuvimos arreglando a nivel para que no hubiera problemas. Pero lo que más hacíamos era hacer las casas donde metían los botes, tipo para un carro la cochera, pero para los botes, ese fue el trabajo que hicimos. Yo sentía que desarrollaba bien esa clase de trabajo, no se me hacía difícil. Eran estructuras de material que flotaba en el agua que nos llevaban y nomás nosotros las armábamos.

Ahí estuvimos un buen tiempo. Nos hicimos muy cercanos al señor, nos trataba bien, ahí sí la pasamos muy bien. El señor nos prestó su casa para estar viviendo en la planta de abajo. Nos compró todo lo necesario para cocinar, no batallamos por comida. Íbamos al pueblo a comprar ropa, y él nos daba dinero, aparte nos pagaba. Ahí fue la mayor parte de tiempo que pasamos, como del mes de mayo hasta diciembre.

Él sí era una persona muy buena, sí se portó muy bien con nosotros, incluso nos dejaba encargada la casa para que se la cuidáramos.

En ese lugar, en noviembre, comienza a escasear el trabajo; comienza a helar y nevar como desde mitad de noviembre. La casa de él, que era grande, se la estábamos arreglando por dentro, no nos faltaba trabajo. Empezando diciembre le dijimos que ya queríamos regresar a México; y como mi papá cumplía años el 14 de diciembre, yo quería llegar antes para celebrar. No nos quería dejar que nos viniéramos; luego nos dijo que sí nos dejaba ir, pero que le teníamos que terminar un trabajo, era un trabajo en la entrada donde bajaba la avioneta, eran como 500 metros donde teníamos que desparramar granzón. Parece que fueron siete u ocho camiones de granzón, pero nosotros, con las ganas de regresar, lo dispersamos rápido.

Lo que más extrañaba era la familia, y luego nos tocó escuchar cuando estaban dando el grito acá en México; ¡híjole!, se siente uno como vacío, como que no tiene nada. De repente, también me pasó que por andar pensando acá, en la gente, en México, estaba trabajando y me caí al agua; creo que pisé donde terminaba la plataforma, fue por el mes de noviembre. Traía el cinturón de las herramientas bien cargado, los zapatos de trabajo y una chamarra, y aunque quería moverme me pesaban bastante; me fui varios metros, y no podía salir, empecé a moverme y moverme, y tardé un rato en salir a la superficie, nada más llegué, tomé aire y me volvió a jalar la herramienta que traía. Tardé un rato en salir, y luego me jalaron del cabello. Esa vez sí la libré; después ya el patrón nos recomendaba que anduviéramos con más cuidado.

Le hicimos también la construcción de una barda de un metro de alto a la orilla de todo el agua. Y ya ven cómo son los gringos, llegaba el hijo del patrón, se abrazaba a la barda y le daba de besos; también nos tomaron una foto parados en ella. Ellos, los gringos, toman muchas fotos de todo. El trato fue muy diferente al que anteriormente habíamos tenido; se portaron muy bien con nosotros. Ahí estuvimos trabajando de todo: de albañiles, de carpinteros, de jardineros, hasta de cuidar perros. Él sí nos veía y trataba muy bien, incluso nos facilitaba que pudiéramos llamar para comunicarnos para acá.

Me dijo que me iba, pero con la condición de que en febrero regresara; le dije que sí, pues yo venía con esa idea de regresar. Ya nos entendíamos, él me enseñaba cómo se decía en inglés el nombre de herramientas, y yo le decía cómo era en español. También aprendí a pedir de comer en inglés. Nos ayudó a regresar, nos facilitó todo y nos dio, además, una buena cantidad.

Nos venimos un 11 de diciembre y llegamos el 13, por todos los contratiempos que pasan en el camino. Lo difícil es pasar para este lado, pues empiezas a ver baches por todos lados, las casitas en la frontera cayéndose, ¡puros jacalitos! Nos cobraron en la frontera para dejarnos pasar, y pues dimos la mordida; en Piedras Negras, otros 10 dólares. En la central de autobuses te cobran una cuota por lo que llevas. Uno viene temeroso de que lo poco que trae aquí en México se lo bajen. Ya el resto del camino no nos pidieron dinero.

Durante el regreso, ya de Piedras Negras hacia San Luis, hacía un frillazo. Con las ganas de llegar se hacía eterno el camino. Yo iba hablando con todo el mundo, como que dan ganas de hablar español. A la señora que iba a un lado mío en el autobús como que la aburrí, y me dijo que ya me durmiera, y hasta me tapó con una cobija y toda la cosa. Llegamos al rancho a las dos de la mañana; nos recibieron muy bien, y como que vi muy cambiada a la familia, como que mis hermanas habían crecido en el tiempo que no estuve.

Por el mes de febrero ya me quería regresar a trabajar, pero mi papá me preguntó que qué iba a buscar allá; le dije que iba a buscar trabajo, y me contestó que, en ese caso, él ya me tenía uno. Me dijo que fuera a presentarme al sindicato de la Industrial Minera México, y fui a presentarme. Para el 7 de febrero de 1977 me quedé a trabajar, y ahí duré 22 años.

En Estados Unidos hay gente buena y mala. Parece que cuando uno anda más apurado, preocupado, la mala suerte más lo sigue a uno. Los primeros dos meses y medio fueron muy sufridos. Prefiere uno no tener nada y tener a dónde ir, no que allá no sabes ni a dónde moverte. La realidad no es como te la pintan los que regresan; no es llegar, estar y barrer dinero.

A lo mejor no volvería a ir... no, no voy. Sigue la inquietud, y de repente con otros que regresan les digo que sí, pero... hay cosas que dolerían otra vez como en la primera ocasión: la familia, pero ahora la propia. Ahora ya anda mucha gente allá, yo conozco a muchos; simplemente, ahora anda por allá la mitad de todos los chavos de Colorada. Quizá con visa, con documentos, sí iría. De arriesgarle por el monte no tengo miedo, pero hay que aprovechar si existen facilidades.

En 1997, que hubo recorte en la Minera México, salí, pero con mi retiro, del cual aún vivo. Con el retiro y con la ayuda de mi esposa monté mi propio negocio, y creo que sí me fue mejor que cuando andaba en Estados Unidos. También pude sacar mi casa de Infonavit acá en México, y de Estados Unidos no me quedó nada. Se siente muy bonito; aquí, donde parecía más duro, fue donde la hice.

TODO SE ME FUE EN LA PARRANDA[1]

Ezequiel Dávalos Faz

Tranquilo y descansado, seguro de sí mismo, don Polo, como sus nietos suelen llamarlo cariñosamente, accede amablemente a la entrevista, la cual se realizó junto al establo, donde las vacas descansan; más allá se encuentra el chiquero; algunas gallinas rondan el sitio. Don Polo se sienta, por lo general, a contemplar el atardecer, entonces lo inunda la nostalgia por sus mejores tiempos, que dedicó a la agricultura hace mucho tiempo; ahora está cansado y son los hijos quienes labran la tierra. A su esposa, Guadalupe López Cortina, dice don Polo, la conoció en tiempos de la Revolución: "Sí, Lupe estaba retechiquilla cuando la conocí, me gustó, y pos me la robé". Doña Lupe todavía trabaja en el hogar; aún tiene fuerzas para ordeñar las vacas, preparar quesos y cocinar tamales para vender.

Don Polo es un simpático personaje que durante su juventud decidió emprender la aventura a Estados Unidos en busca de una oportunidad de trabajo bien remunerado. Él pertenece al sector de migrantes iletrados y sin educación que abandonan su lugar de origen porque las condiciones económicas y el entorno social no son los adecuados para desempeñar un óptimo trabajo. Cuando don Polo tenía escasos 18 años de edad, inexperto y con un afán de buscar "aventuras" que, según él, le podrían resultar beneficiosas, emigró hacia Estados Unidos con unos amigos, pero los resultados fueron poco favorables.

La aventura migratoria que don Polo emprendió tuvo razones decisivas; por un lado, las personales: don Polo fue invitado por sus amigos a emigrar a Estados Unidos porque tenían la certidumbre de que allá

[1] La primera parte de la entrevista fue realizada el 22 de noviembre de 2000 a Apolinar Gallardo Hernández, de 93 años de edad, que vive en San Luis Potosí, en la colonia Tercera Grande, zona rural dedicada principalmente a la agricultura, muy cerca de las vías México-Laredo. La segunda fue realizada el 31 de enero de 2001 a uno de sus hijos en el hogar de éste.

se gana mejor, y fue apoyado en cierta manera por su padre. Infortunadamente, don Polo, por la falta de experiencia y la juventud, despilfarró sus ganancias en diversión; como él dice: "Todo se me fue en la parranda".

* * *

Fue hace más de 60 años cuando viajé a Estados Unidos, fue allá por 1925... lo recuerdo bien porque mi hermano se acababa de casar, y tuvimos que venderlo todo porque queríamos tener una buena boda y pos nos quedamos sin centavitos para comer. Vendimos unas vaquitas que teníamos para hacer la mentada fiesta, de ese dinero sacamos para pagar los gastos de la boda, ¡je!, ésa sí fue una gran fiesta que duró como dos días... Recuerdo bien que todos los vecinos estuvieron muy contentos porque hubo de todo: chicharrón, barbacoa, molito, pulque, cerveza, vino, pastel; había comida como para un tropel. Después de la boda, pues nos quedamos sin centavitos, porque me acuerdo que estuvimos comiendo lo que sobró como durante por una semana más, mi 'apá no tenía mucho dinero, así que yo lo acompañaba diario al mercado a vender las pocas verduritas que teníamos, pero, de todos modos, no alcanzaba para todos. Mi 'apá tenía en su huerto coliflor, lechugas, cilantro, hierbabuena, alfalfa, y pues esas meras servían para venderlas.

Mi 'amá, Lupe, consiguió prestados unos centavitos para comprar nixtamal y hacer tamales para vender y ayudarle a mi 'apá. Mi 'amá era muy luchadora, nunca dejó a mi 'apá, siempre le ayudó para poder darnos de comer; además, sus tamales son resabrosos. Pero el dinero que sacaba no era suficiente, así que yo no me hallaba, y quería ayudarles a mis 'apás. En ese tiempo yo veía que muchos conocidos míos se trepaban al tren, y decían que iban en busca de centavitos, porque era más fácil trabajar en el otro lado, que pagaban bien y que necesitaban mucho trabajador para labrar la tierra. Yo no ganaba en ese entonces, y le dije a mi 'apá que me iba arrancar pa'l otro lado; mi 'apá, no de muy buena gana, aceptó. Y luego, pos yo me fui, pos tú sabes, con la palomilla, me fui con unos compadres, me fui con Chanito, Lucio, el Loco Evaristo y un primo lejano que le decían el Planchudo. Me acuerdo que nos fuimos, y tuve que vender la pistola que me había regalado mi papá, dizque para pagarle al que nos iba a pasar al otro lado... Estaba de moda irse al otro lado, dizque se ganaba mucho billete verde, que se hacía uno rico allá... Yo nomás aguanté un viaje... gracias a Diosito pasé luego luego, sin ningún problema. ¡Ja! Recuerdo que allá también dejé familia; sí, cómo no, me acuerdo que dejé a mi José de Jesús y a otro chiquillo que se llamaba Sotero. Su mamá se llamaba María del Pilar... y pos se quedaron allá, yo les dije que se vinieran conmigo, y pos, ¡bah!, nunca quisieron... de eso hace ya bien harto tiempo.

Cuando viajé a Estados Unidos no tenía familiares; no, qué familiares ni qué nada, me fui yo solito con mis compadres, nomás por la novedad de conocer Estados Unidos... Imagínese que nos íbamos a encajar como diez pelados en un cuartito rechiquitillo, al ladito de los sembradíos de algodón... poníamos unas cobijas, y así nos acostábamos... nomás pasaban las condenadas cucarachas y tamañas ratas por entre las patas... pero uno se acostumbra. Teníamos un capataz que era muy diablo, era un güero muy macizo y corrioso... ¡Ah!, pero eso sí, era retemalvado; afigúrate que nos tenía todo el santo día en chinga en la pizca del algodón... se la pasaba gritando no sé qué cosas a los que no hacían su trabajo; nos daba empellones, y a los que eran flojos no les pagaba ni un centavo en toda la semana. Había un mexicano que dizque hablaba el inglés, y nos decía que ese condenado gringo era así porque había otro gringo más canijo que lo obligaba a tener la cosecha lista.

Y pues uno qué culpa... había que estar todo el día bajo el sol, y eran unos campotes retelargos de puro algodón; eso sí, verdes, muy bonitos... Allá sí había bien harta agua, no como aquí que riegan con agua apestosa de la cañería... allá sí había pozos grandotes... Pero yo nomás aguanté siete años, porque era muy cansado... la friega todos los días en lo mismo, desde que salía el sol hasta que se metía... ¡ah cómo quemaba el condenado!, se le agrietaba a uno la piel... acababa uno prieto de tanto pinche sol. Yo estaba retemorro, y le gana a uno la tentación... la parranda es como el demonio... Mandaba centavitos de vez en cuando a mi familia, pero se quedaban en el camino con los que mandaba el dinero, y otras veces dizque los gringos se lo robaban... pero lo que ganaba, mejor me lo echaba en alcohol... todo se me fue en la parranda. Algunas veces pensaba en mis 'apás, en que yo estaba allí para ayudarles, pero... el alcohol es más fuerte.

Siempre tenía sueños de cómo había cruzado la frontera, o recuerdos... yo me trepé en el tren que pasa aquí enfrentito... todo el viaje fue en tren; pero eso sí, tuve que pagar pesos por el aventón... En ese entonces no te pedían tanta cosa como ahora, nomás ibas a chambearle.

El viaje duró como una semana, que se paraba aquí y allá... yo decía ¡a dio, pues qué muerte estoy pagando! Fue mucho sufrimiento para ir a chambearle al otro lado... en la noche el frío se sentía bien harto... sin nada para acurrucarme... a veces no sentía los dedos de los pieses... Íbamos como cincuenta pelados entre las cosas que llevaba el tren... no nos dieron de comer... en los ranchitos había que abajarse para comprar lo que hubiera, un taquito con sal o chile, lo que hubiera era bueno para nosotros, a veces atolito de aguamiel, muy rico, y otras veces pulquito.

Don Polo saca del bolsillo de su camisa de lana unos Faritos, y enciende un cigarrillo; después, saca de su pantalón un pañuelo y se limpia la cara.

Mire... antes se compraba el tabaco, y uno tenía que molerlo... nosotros hacíamos el cigarro con hojas de elote... eran grandes y duraban bien harto.

Cuando llegamos, luego luego nos abajaron del tren y nos arrejuntaron por grupos... los más fuerte y los más jóvenes eran pa'l trabajo de campo. Los gringos necesitaban muchos trabajadores, era muy difícil que no te dejaran pasar... los condenados güeros sabían que los mexicanos traíban hambre y andaban necesitados... sin ropa... No nos trataban bien, pero se sentía feo estar lejos de la familia... pero ya estando allá, pues aguantas vara y te acostumbras.

A veces cuando descansaba, estando con la palomilla, pensaba en la familia, en el jacalito, en tus animalitos y, la verdad, el chilito, el maicito y el pulque... allá no había nada de eso... o, bueno, sólo algunas veces, cuando alguien traíba algún costalito con maicito y chilitos... allá nomás arroz sin sal, retecrudo y agua de pozo... todos los días era lo mismo; en la mañana, huevitos con lo que hubiera; en la tarde, arroz y agua, y si había carnita, pues le clavábamos el diente, y en la noche, cafecito y pan, o lo que hubiera. Nosotros dejábamos nuestras chivas en un cuartito, y las mujeres son las que guisaban.

Las mujeres también se dedicaban pos a lo mismo, a la pizca del algodón; ellas también tenían chamacos y había que darles de comer. Yo conocí allí a María del Pilar, estaba rechiquilla; era huérfana de padre, porque dizque se lo mataron en la Revolución, y tenía que mandarle centavos a su mamá, pero los condenados gringos les daban repoquito...

les daban unos centavitos por tamañota friega... se me afigura que los patrones creíban que éramos como animales pa'l trabajo... nomás servíamos pa' la cosecha... no importaba lo que nos pasara. Una vez, un chamaco se entripó, y los gringos nada, ni caso... el chamaco casi se muere... tenía calores que estaban retejuertes... pobre chamaco, así duró como dos semanas.

En ese lugar no había nada, qué dotores ni qué nada, había unas casitas en medio del monte y nomás; decían que para ir con un dotor teníamos que caminar como tres días a las rancherías juntitas. A los gringos les valía madre los mexicanos, si alguien se moría no importaba... chambear era a lo que íbamos. El único día que me gustaba era sólo los domingos; ¿no te digo que agarrábamos la parranda?... sólo los domingos nos juntábamos la palomilla a echar chascarrillos...

¿Y la Navidad?

¡Cuál Navidá! Allá no hay de eso... algunos dizque se regresaban con su familia, pero había que pagar el regreso... y pos yo no tenía, mejor me quedaba... yo no tenía centavos... no quería regresar; algunos se quedaban... allí dizque hacíamos una cenita en esos días y era todo... nada cambiaba. El que se jalaba pa'trás ya no regresaba... el patrón ya no lo quería por flojo, pero llegaban nuevos pelados... el patrón sólo quería a los que le chingaban duro.

Cuando llegamos a Texas, lueguito a chambearle... ellos, a lo que ibas... a chingarle... De donde nos abajamos del tren caminamos, puro monte adentro a pie, la tierra estaba ardiendo, y el camino retelargo... hicimos como cinco o seis horas de camino. El lugar era como un ranchito, bueno, ni tan ranchito, de lejos se veía chiquito, pero los campos estaban retegrandes... Llegamos, y nos recibió el malvado gringo... nos enseñó nuestro jacalito y nos emprestó unas bolsas para guardar nuestras chivas... pero ese mismo día empezamos a trabajar en la pizca del algodón. Nos daban como cinco dólares por estar todo el día... la jornada era la jornada, y a nadie le quedaban ganas de trabajar horas de más; al contrario, nos salíamos desde antes para no trabajar... luego se nos hacía tarde, y la cena se enfriaba.

Nos levantábamos desde las seis de la mañana, y empezábamos la chinga a las siete de la mañana, y acabábamos como a las ocho de la noche sin ganas de nada. Todo el día chambeando, y en la noche a dormir para el día siguiente... era retelarga la jornada.

La única experiencia buena fue la mujer que tuve allá y los domingos en la parranda... nos poníamos a tomar y a echar chascarrillos de la vida de uno, nos ríamos del güero grandote, ese que era remísero, y la aventura nueva de estar en el otro lado. Uno sí extraña a la familia; yo mandaba cartas con centavillos, ni escribir sabía, un chamaco me hacía el favor de escribirles... de todas las cartas que mandé, nomás me contestaron como una o dos. Los muchachos se pagaban solos; eran unos hijos de su pinche madre... varias veces me robaron los centavos, como los tenía debajito de la cama, nomás estiraban la mano. Yo jui el primero que me eché pa'trás porque ya no me gustó, me regresé con otro por el tren hasta la frontera, y luego nos jalamos en el tren pa'cá. Tardamos como una semana en regresar a México por eso de que los trenes no pasaban muy seguido y de que el pasaje estaba caro para nosotros; pasamos hambre y hacía calor, pero mis ganas de llegar con mis 'apás y a mi jacalito eran retehartas.

Las cosas ahora son diferentes... ora se van porque deben muertitos aquí o porque quieren centavitos para sus chamacos o porque les da la loquera a los cabrones... se van jodidos y regresan igual o pior. Como mi hijo Apolinar, ése sí le va bien; cada mes me manda unos centavitos... yo me mantengo... ya hasta le estamos haciendo su casita pa' cuando se quiera regresar tenga a donde llegar. Pero se me afigura que ése ya no se regresa, ése vive en Chicago con sus chamacos y su mujer. Dice que le va muy bien y que allá sí lo atienden bien. Pues, bueno, uno qué más quiere que el bien para sus hijos; mi vieja es la que lo extraña un poquito, pero pos ya se acostumbró. Y mis otros hijos... ésos todos están casados, y tienen mujer y esposos; aquí le taruguean, qué labran la tierra, pero uno es dotor, el otro licenciado y otros ingenieros.

Yo no pensé en regresar otra vez, ¡vayan a la jodida! Muy apenas me jui pa'llá por pura loquera... ya no quise saber de allá, porque uno extraña la casa, es la casa de uno... donde lo quieren. Cuando me jalé pa'trás me dediqué a lo mismo, al campo... es lo que sí da de comer. Le ayudaba a mi 'apá a sembrar, ordeñar y con el arado, a criar vaquitas, marranos y gallinas... le ayudaba a mi 'apá a llevar las hierbas a vender al mercado. Luego me casé aquí, tuve mis chamacos... Mi 'apá me dio una tierrita y continué chingándole... hice esta casita... y pos esta casita va a ser para mis hijos o nietos. Y aquí espero seguir hasta que Diosito me recoja.

ES UN RATITO DE SUERTE EL QUE TIENE UNO[1]

Gilberto Estrada Harris

En medio de un calor que azota y de la ausencia de lluvia a lo largo de casi todo el año, por el kilómetro 24 del tramo San Luis Potosí-Matehuala hay un rancho, Las Palomas; ahí nació Andrés Narváez y ahí estudió la primaria. En el rancho era difícil vivir, así es que de joven emigró a Monterrey, Nuevo León, ciudad que le otorgó una primera oportunidad para desarrollarse y emprender su propio negocio. En 1972, a los 20 años de edad, ya administraba su propia frutería. Ese mismo año, sus hermanos le hicieron una llamada telefónica para invitarlo y tentarlo a probar suerte "al otro lado". "Mi historia es diferente de los que se vienen para acá", dice don Andrés, que ahora es dueño de un negocio de construcción en Dallas, Texas, y está al mando de cincuenta trabajadores.

Don Andrés emigró a Estados Unidos por primera vez en 1972, durante la época caracterizada por el cruce masivo de indocumentados. Sus hermanos, que habían emigrado un año antes, lograron establecer y coordinar una red social que servía como conexión entre los migrantes y no migrantes en las áreas de origen y destino. Dicha red fue el factor fundamental para que don Andrés se decidiera a partir, pues minimizaba costos y riesgos.

Tomé el teléfono y marqué un número muy largo. Ring, y esperé. Me contestó don Andrés, y le pedí que por favor me contara su aventura. La respuesta fue cordial, entusiasta, con muchas ganas de contar su historia, aunque de manera pausada y tranquila. Tomé un respiro, papel y pluma.

[1] La entrevista al señor Andrés Narváez se realizó vía telefónica San Luis Potosí-Dallas en dos partes; la primera, el 28 de noviembre de 2000; la segunda, el martes 13 de febrero de 2001.

* * *

Yo estaba en Monterrey trabajando en la frutería cuando me hablaron mis hermanos y unos amigos, ahí, por ahí de 1972, para invitarme a irme con ellos a Dallas, en Texas, que porque les estaba yendo muy bien. Mis hermanos y yo nacimos en el rancho Las Palomas, ahí por el kilómetro 24 de la carretera San Luis-Matehuala. Yo me había ido del rancho a Monterrey a calar suerte, y me estaba yendo bien, pero mis hermanos, que ya llevaban en Estados Unidos como un año, me convencieron. Así que, pues ya preparamos todo, y un día ya estaba en la noche cruzando el río. Pero me agarraron por ahí de las cien millas y me detuvieron. Así fue la primera vez que me regresaron, pero al ratito lo volví a intentar.

Total, ya cruzado, como los primeros ocho meses estuve escondido arriba de una casa, y me encontraron y me regresaron. Esa vez migración me dio buen trato. A los dos meses me volví a ir, y me agarraron por San Antonio, y esa vez sí me encerraron tres días, con un trato duro, con malas palabras, ¿verdad? Hay veces que uno la pasa mal, y otras no tan mal, depende. A mí, las veces que me agarraron se puede decir que me fue bien a comparación de otros compañeros. Es que a veces a uno lo ven como menos, uno no está preparado, y luego ni el idioma se sabe.

Me volví a ir, pero tenía mi novia de Monterrey y la frutería, pero yo quería a alguien más, ¿verdad?, a una muchacha del rancho, en Las Palomas. A los ocho meses de estar acá, en Estados Unidos, me regresé yo, y a la muchacha de Monterrey le dejé la frutería, que dejaba bien; fíjese, en aquel entonces el salario mínimo era como de 200 pesos al mes, y yo andaba haciendo como mil pesos al mes. Así es que le dije que ya yo me iba para el rancho y que ahí le dejaba el negocio, que era de ella. Me regresé, y me fui al rancho con la muchacha que yo quería, que ahora es mi esposa. Me casé en México, y a los ocho días nos venimos para acá, y en 1975 nació mi primera hija. Duré como diez años con mis papeles en trámite.

En 1977 me dieron un permiso hasta el 82. En 1980, por febrero o mayo, uno ya no podía arreglar papeles por los hijos; pero yo ya llevaba varios años trabajando en Estados Unidos, acá en Texas, y ya me conocían. Ya de ahí ya no fui deportado, ya no tuve problemas. Pero arreglé mis papeles hasta 1985-1986 porque hubo una amnistía general; le dieron amnistía a mucha gente, como a un millón, no, como a dos o más. Dieron papeles a mucha gente y de distintos lados, pero sobre todo a los mexicanos, que somos mayoría; somos muchos y en ese entonces también. Nos arreglamos, mi esposa y yo y mis hijos, y en 1986 les conseguí a mi gente del rancho catorce papeles; se los compré, digamos que no de manera muy legal, pero uno hacía lo que podía a ver si pegaba y así ayudaba. Les conseguí la residencia, nomás les pedí una carta de Agricultura para decir que eran agricultores. Es que acá, si pide uno trabajo en el campo, le preguntan, por ejemplo, que a ver si sabe uno como levantar la fresa o así, ¿verdad? Ahora todos mis hijos son de acá, menos uno, que nació allá en México.

Ahora sí está muy difícil conseguir papeles; pues uno le intenta y a ver si le pega, pero no es como antes. No se van a conseguir papeles, al menos que haya una amnistía general, como la del 86. Por eso los grupos de hispanos deben de hacer más presión y deben de tener más unión, no nomás los mexicanos, sino los guatemaltecos, los salvadoreños, los hondureños, los nicaragüenses; si es interés de todos, todos nos debemos de unir. Como ya ve lo que pasó en El Salvador, pues todos, no importando de donde sean, ¿verdad?, ayudamos y juntamos para mandarles dinero y cosas; se juntan en radiodifusoras y hacen campañas, y todos van y cooperan. Así debiera ser. Ya ve que ahora Fox quiere hacer mucho por los paisanos migrantes, pero a ver si Bush hace. Yo creo que sí, pero hace falta más unión entre las distintas organizaciones.

Ya cuando estaba en Dallas, pues no sabía inglés y nomás tenía hasta sexto de primaria, así que fue un poco difícil al principio. Mi historia es diferente de los que se vienen para acá. Al principio ganaba 2.50 dólares la hora, y como a los tres años ya ganaba ocho dólares la hora; a los cuatro o cinco años ganaba 15 dólares, y a los doce años puse mi propio negocio, de construcción. Nosotros agarramos los contratos. Tengo como a cincuenta gentes trabajando; nos va bien, pero no siempre gano lo mismo, varía. Es un ratito de suerte el que tiene uno.

Uno tiene que hacer sacrificios. Luego uno se endroga. Ahora con el negocio ayudo a los que no tienen trabajo; contrato de todo: a los que no tienen papeles, a los que vienen recomendados, a los que no tienen trabajo y llevan ya tiempo sin conseguir trabajo y lo necesitan, a puros mexicanos. Es que conozco a mucha gente y mucha gente me conoce, entonces, que el compadre y el cuñado y el amigo del rancho y los sobrinos y primos y así, ¿verdad?, pues siempre que se puede uno les echa la mano. Y tengo gente aquí conmigo desde que comencé, que han estado siempre trabaje y trabaje y otros que van y vienen.

Antes yo también ayudaba a cruzar a las gentes de allá; yo les ayudaba con el dinero, ahora ya casi no, pero antes a muchos conocidos. Cuando yo crucé, allá a principios de los setenta, la venida salía como en doscientos dólares; ahorita ya sale muy caro, y también depende de cómo se venga uno, ¿verdad? Hay de camiones a camiones, o así, pero ahorita, digamos que en un viaje de tres o cinco días de allá para acá, con el "coyote" y lo que le quitan a uno y todo, anda saliendo como en mil o dos mil dólares.

Habemos muchos que han sido como yo. Me gustaba mucho tomar con los amigos; me detuvieron dos veces por estar tomado. Pero lo que aprende uno es lo que le inculca a sus hijos, ¿verdad? Ahora también hay muchachos que los ve uno tomados en las calles, y a veces los agarran. Ahora mi familia está acá, pero varios hermanos están allá y también allá está mi casa, en Palomas. Ellos se quedaron para cuidar a mi papá y al rancho. Yo voy una o dos veces por año, en julio o agosto, pero yo voy nada más como dos semanas. Mis hermanos son diferentes, ellos son temporales, ellos se vienen para acá, para Estados Unidos, como en marzo y se regresan a México como en diciembre, y allá se quedan en el rancho; ellos viven media vida allá y media vida acá.

Ahí es el problema, cuando una cruza las aduanas. El problema es más de aquí para allá [de Estados Unidos a México] que de allá para acá. Le quitan a uno mucho dinero; siempre preguntan por dinero y, a veces, le quitan a uno poco o mucho, dependiendo. Ahorita están quitando como veinte dólares, más o menos, nomás por no traer la matrícula consular. A los que no traen papeles, la migra mexicana les quita mucho.

Los ratos más duros son en la frontera; es un peligro del lado mexicano, por la policía, la delincuencia, en la ciudad o en el río. Ya en Estados Unidos es menos peligro. Las primeras veces crucé por varios lados por medio de mi hermano y de distintas formas; crucé por Piedras Negras, Laredo, Reynosa, Acuña, a veces en trailer, una vez en la cajuela de un carro y otra vez adelante; por el río también crucé. El peligro está donde quiera, lo que cambia es la suerte; se puede calar uno cinco días, y le toca difícil o fácil, depende; puede uno caminar ocho días y es un sufrimiento muy grande; me tocó que a un muchacho le cortó las piernas el tren por andar cruzando.

Hay más humillación por parte de migración mexicana, se aprovechan de su cargo y tratan de hundir a uno; unos son prepotentes, déspotas; a uno lo esculcan con los pies, y con la pistola en mano. Yo pienso, ¿verdad?, que migración de Estados Unidos tiene más preparación, un 75 por ciento más preparación que la mexicana; acá primero saludan y se identifican. En el IME [Instituto Mexicano de Emigración] no hay ninguna voluntad en ellos, se aprovechan del migrante; tienen la mentalidad de que quien cruza es puro amolado. Todo mundo quiere un cambio y preparación en las gentes de gobierno. Debe de haber muchas academias para que las gentes del gobierno y de migración sepan apreciar el valor de las personas. Ayer en la televisión sacaron que, en Reynosa, un policía le dio una cachetada a una mujer, y su esposo lo amenazó con un cuchillo, y ¡el policía se agarró a correr! Qué preparación es ésa, ¿verdad? Uno con pistola y el otro solamente con un cuchillo. Y la falta de respeto a la mujer.

Yo estaba bien allá en Monterrey, pero me vine por conocer, por aprender, por superarme. Ahora sigue llegando mucha gente; hay mucho trabajo, y yo creo que va a seguir llegando la gente. Las leyes cambian mucho, pero uno las va librando, como nosotros que batallamos como diez años para conseguir los papeles, y ya hasta el 86, cuando incluso les conseguí papeles para las gentes del rancho.

Ahorita ya tengo mi casa y mi familia acá en Dallas, y mi negocio, y me va bien, después de muchos sacrificios. A mí me ha ido bien, y desde hace tiempo que ya no tenemos problemas. Ahora les echamos la mano con lo que se pueda y con lo que se necesite allá en el rancho; uno manda lo que puede de dinero, y también nos juntamos en grupitos y mandamos para la comunidad, mandamos para bodas, para quince años, para deudas, para enfermos, para obras públicas, para fiestas. Mira, por ejemplo, para la última fiesta patronal, en grupo mandamos como dos mil o dos mil quinientos dólares. Uno manda lo que se puede; yo mando como mil o mil quinientos dólares al año, y si nos juntamos en grupo, pues, como tres mil o tres mil quinientos o, no'mbre, como más. Pero por eso digo que mi historia es diferente a la de muchos que se vienen para acá. Hay muchas historias.

FUI Y VOY A VOLVER A SER MOJADO[1]

Yetiani Sepúlveda Moncada

"Fui y voy a volver a ser mojado", frase pronunciada por el entrevistado y que encierra gran parte de su historia como migrante mexicano, pero que no refleja las características de un "mojado" ni los riesgos que implica serlo, lo cual podremos descubrir en la narración de dicha historia.

Juan Carlos Bravo, o Johny, como se le conoce en el barrio la Garita, en la ciudad de San Luis Potosí, de donde es originario, de 22 años de edad, recién llegado de la ciudad de Dallas, Texas, a donde partió hace dos años, cuando apenas tenía 20 años y esperaba a su primer hijo.

Por un comentario familiar y por la situación económica y familiar tan desesperada en aquel momento a él y a su esposa se les metió en la cabeza la idea de ir al norte a buscar la solución a sus problemas.

La primera vez que Juan Carlos Bravo emigró fue en 1999, año en el que, según algunos especialistas, la economía mexicana se había recuperado después de la crisis de 1995; pero él no pudo notar tal recuperación, pues la resaca de esa crisis aún se sentía en la economía de Johny y en la de muchos otros mexicanos. Así, a pesar de algunos esfuerzos realizados por los gobiernos, Johny es uno de los miles indocumentados que van al norte a buscar una oportunidad.

* * *

No todos nacimos pa'l estudio, y pues yo terminé hasta la secundaria, y me puse a trabajar. Primero trabajé con mi jefe, como repartidor de la frutería, pero después tuvimos algunos problemillas, y pues mejor me busqué otro trabajo, y entonces comencé a trabajar aquí en la vul-

[1] Entrevista realizada el 11 de febrero de 2001, en la vulcanizadora ABC Técnica Automotriz 2000, en la ciudad de San Luis Potosí, utilizando una grabadora.

canizadora ABC Técnica Automotriz 2000, no me pagaban muy bien, pero para mí nomás y pa' darle una ayudadita a mi 'má estaba bien, no necesitaba más.

El problema comenzó cuando, bueno ni tan problema, pero yo tenía una novia desde como dos años antes, y pues, tú sabes, nos enteramos de que estaba embarazada, y pues ni modo, a responderle. Desde que nos casamos decidimos salir juntos adelante, solos, es decir no quisimos ir a vivir a la casa de nuestros papás. Al principio, yo quería estar aquí, con ella, pero no tenía nada pa' darle; estuve chambeándole duro en la vulca, pero nomás no, no salía pa' nada, es que eso de ser casado está difícil, y que los gastos de una y otra cosa, estuvo muy duro. Yo tenía sólo 20 años, estaba rechavalillo, y pues no sabía qué hacer.

Hasta que un día, en la casa de mi novia, bueno de mi mujer, estábamos platicando con uno de sus tíos, y nos dijo que por qué no me iba a trabajar pa'l norte, que allá se ganaba rebién y que podía enviarle el dinero a mi mujer para que se aliviara, y para el chavillo. Él me dijo que lo fuera a buscar la siguiente semana para que me informara de cómo hacerle, pos ya ves que es bien difícil eso de los papeles. Y pues, bueno, fui a la semana siguiente; me dijo que allá por Moctezuma había un señor que nos podía cruzar, que fuéramos a hablar con él, y que él nos informaba todo: qué día, el costo y todo.

Yo tenía desde hace tiempo, como dos años, a un tío allá, el hermano de mi papá, y a mi hermano mayor; pero ellos habían pasado diferente, en tren, les había ido peor, por eso decidí ir a ver qué podía salir con este don.

Yo le había contado a los chavos de aquí, de la vulca, que me quería ir pa'l norte para mandarle un dinerito a mi vieja, y pues dos querían saber también cómo se le podía hacer, y pues nos lanzamos pa' Moctezuma. Pedimos permiso un día pa' faltar y, pues, aunque el jefe dijo que por qué los tres, pues nos fuimos.

Llegamos a Moctezuma y preguntamos por el don; todos lo conocían, parecía que era muy famoso, y pues nos mandaron pa' su casa; estaba bien grande, yo creo que era la más grande del pueblo. Los chavos y yo bromeamos diciendo que debía ser muy caro, pues pa' tener este casonón... y pues sí, nos iba a cobrar 800 dólares o sea como ocho mil pesos. Ese día nos dijo cuándo salía, en dónde nos veríamos, la hora y todo eso.

Teníamos sólo una semana pa' juntar el dinero, y pues no, de dónde. Los otros se rajaron, pues no tenían a nadie para pedirle el dinero y no tenían tanta necesidad, urgencia. Yo no podía esperar mucho, así es que hablé con mí 'apá, y me dijo que él no podía, pero me dio la sugerencia de que por qué no le hablaba a mi hermano José, el mayor, el que estaba ya en el otro lado, que quizás, como él ya trabajaba allá, tenía un ahorradito, y me echaba la mano. Y, pos sí le llamé, quedamos en que él iba a estar en la frontera para pagarle al "coyote", lo único que ahora tenía que ver era si el don aceptaba el trato.

Entonces, luego luego al día siguiente me lancé de nuevo pa' Moctezuma a ver al "coyote" y decirle lo del trato, y pues lo aceptó; hasta eso, se portó muy bien. Nomás uno le da una parte y, ya cuando llegas, le das la otra, porque si no te arriesgas a que te dejen colgado o a que no te crucen.

A mi carnal debía pagarle hasta que él lo necesitara; lo junté y se lo guardé, como quien dice no tuve problema por eso. Lo pude juntar como en dos meses y ya después me lo pidió, no tenía urgencia.

A mi esposa no le pareció muy buena la idea de que yo me fuera, pues decía que no iba a poder ver a mi chamaquillo cuando naciera, pero pues ni modo, a veces se tienen que sacrificar algunas cosas, y pues era para enviarles un dinerito y que estuvieran bien acá. Yo creía que iba a regresar pronto, pero, ya ves, tardé dos años en volver pa'cá, nunca antes regresé, ni pa' las fiestas ni para conocer a mi chiquillo, ni nada, hasta ahora; pero yo creo que me regreso el próximo mes,[2] nada más que pasen las fiestas de Navidad y del Año nuevo.

Y pues, bueno, nos fuimos en autobús un domingo y llegamos allá en la madrugada, a la frontera en Reynosa, éramos como 15 personas. Ahí nos dijeron que íbamos a cruzar el siguiente día, y pues sí, ya en la tarde del otro día estábamos cruzando; caminamos y caminamos. Bueno, pues de todo pasa, porque primero dijeron que teníamos que llegar al río, entonces caminamos y no, pos nada, pos en vez de llevarnos pa'l río nos llevaron pa' otro lado; caminamos al revés. Caminamos como una noche y no habíamos llegado a ningún lado. Ya después, al día siguiente, cuando nos habían dicho que habíamos caminado pa'l lado contrario, pedimos un *raid* al río. Nos cobraron como 10 pesos por cada quien, y fuimos al río. Yo no creía que fuera tan cansado, pero varios de los que iban ahí conmigo me dijeron que esto era nada, pues ellos

[2] Declaración hecha en la primera entrevista, diciembre de 2000.

habían intentado ir varias veces antes, pero que, por una o por otra, nomás no, que a veces hasta golpeados regresaban.

Estuvimos esperando la noche para poder pasar el río; yo ya quería. En una ocasión, un señor que nos vio por ahí nos preguntó que si teníamos hambre, y pues cómo no, sin nada en el estómago desde hace un día; él nos dijo que podía traernos comida o algo para cuando cruzáramos –andaba por ahí, por el campo, trabajando–, entonces le dimos un dinero y nos llevó la comida. Comimos mientras esperábamos la hora de cruzar; íbamos a cruzar en la noche, pero no pudimos, pues mientras estábamos comiendo y en eso que nada más de repente llegaron unos carros, y dijeron: "no, pos a lo mejor son de la policía". El 'ñor que estaba al lado de mí dijo: "¡otra vez estos cabrones!... pos cuándo voy a ir a trabajar, ya estoy hasta la ch...". Pues la policía te para y te tumba una feria si estás ahí, porque si estás ahí es porque vas a cruzar al otro lado; entonces ellos dicen, te preguntan a qué vas o qué, y te llevan para checarte, para ver si no tienes un delito o que quieras escapar. Nosotros ya queríamos cruzar, luego te dejan ir, aunque te tumban una feria; nosotros no fuimos, nos llamaban, pero no les hicimos caso, nos hablaron, pero no regresamos; empezamos a cruzar el río.

De repente, pues, ya estás ahí enfrente del río, y te dicen: "¡ya vamos a cruzar!, quítense la ropa", y pues, ni modo, a encuerarse; bueno, te dejas los "calcetines", verdad. Esa vez iba hasta una chava, y pues le daba pena, hasta a uno le da pena, pero con el nervio ya ni se fija uno. El río se ve calmadón, pero te metes y te jala un poco; da miedo, pues llevas en la mano tu ropa y la traes levantada, como que no tienes mucha fuerza.

Después de pasar el río, que llega uno muerto, nos dijeron que íbamos a caminar 24 horas; pero caminamos como cuatro horas, y el "coyote" nos dijo que lo esperáramos y que él regresaba en la noche o a la mañana siguiente por nosotros, y pues, total, que no regresó ni esa noche ni a la mañana siguiente, se tardó como unos dos días, y nosotros ahí como pendejos en el monte, nada más esperando haber si regresaba el cabrón.

No teníamos nada que comer; bueno, teníamos unas galletas y cosas así, pero éramos muchos, como 15, unos de aquí de San Luis, otros de Querétaro, de Celaya, de Michoacán, de diferentes partes. Y luego, pa' acabarla de amolar, llegó otro grupo que llevaba más rato esperando ahí en el monte, y pues tenían más hambre, y les dimos las galletas, ya no teníamos nada.

Ya, a los dos días regresó el 'ñor, y nos llevó a una casa de esas rodantes; nos dio de comer, nos lavamos un poco, y nos dijo que durmiéramos un rato porque al otro día íbamos a caminar. Unos durmieron un poco; yo, de los nervios, ni dormir pude, lo único que quería era ver a mi hermano, quería llegar. Total que al otro día nos fuimos bien tempranito, caminamos como 10 horas y luego descansamos, esto lo hicimos dos días, hasta que por fin llegamos.

Cuando llegamos estaba ahí mi hermano, ya tenía bastante esperándome, hasta me dijo que creía que ya no iba a llegar, traía los dólares que faltaban para el "coyote". Le di al don el dinero, y ya nunca volví a verlo, yo creo que hasta ahora que me vuelva a ir lo voy a volver a ver. Ya sé de otro más cerca, pero él me trató rebién a pesar de todo, me da confianza, yo creo que pa'l otro mes lo busco para volverme a ir.

Lo avientan a uno en Houston, y ya de ahí uno agarra su avión pa' Dallas; mi hermano y yo nos fuimos luego luego; el avión lo tuve que pagar aparte, no va incluido con lo otro, así que a final de cuentas le sale a uno como en unos mil dólares o más. Lo bueno es que allá los junté bien fácil.

Cuando llegas allá se siente regacho, tú sabes que vas a trabajar, pero ya cuando estás allá no sabes ni qué hacer, y eso que yo tenía a mi hermano y a mi tío, pero es una sensación muy extraña estar en un lugar que no es el tuyo, donde no entiendes nada, donde no sabes cuánto vale el dinero, ¡es difícil!

Conseguí rápido trabajo; un compañero de donde trabajaba mi tío le dijo que su hermano era *manager* en un *car wash*, que es donde se lavan los carros, ahí trabajé sólo como 15 días, luego me salí y apliqué en donde estaban trabajando ellos, mi hermano y mi tío, era de instalar oficinas, ensamblarlas, pues son como rompecabezas; ahí me pagaban mejor, tenía un sueldo como de 320 dólares por semana, se paga por hora como 7.50, más las horas extras.

Hasta eso que no tienes ningún problema, nada más cruzar, pero ya estando allá está tranquilo. Sí hacen redadas para encontrar a los que no traemos papeles, pero, digamos, para hacerlas tienen que pedirle primero permiso a los de la compañía de que si pueden ir a checar o la fregada, eso lo hace migración, y ya van; pero, digamos, si la compañía es gacha, pues no te avisa que van a ir, no te dicen nada de nada, y nada más llegan y te agarran. Pero nosotros no teníamos ningún problema porque sólo íbamos a la bodega y de la bodega a la casa, o sea no estábamos en las oficinas, y además los patrones no eran gachos, ellos desde un principio sabían que no traíamos papeles y así nos contrataron, eso lo hacen porque así nos pueden pagar menos, y nadie les dice nada. Si son regachos, sólo de verdad porque uno tiene necesidad. Los gringos también quieren trabajar ahí con uno, nada más que ellos piden 10 o 11 dólares la hora, y se los dan; a uno mexicano o guatemalteco o salvadoreño, peruano o camboyano a lo mucho nos dan ocho la hora, a los morenos.

En Estados Unidos la mayoría son mexicanos; bueno, donde yo estuve así era, allá en Dallas. Hay muchos mexicanos, en las tiendas, en los restaurantes, en todos lados encuentras gente que son ilegales y hablan español e inglés algunos. Si a los güeros les conviene que nos vayamos, yo no sé por qué le hacen tanto de tos, ya nos deberían de dar los papeles y ya, todos contentos.

Yo no hablaba inglés, allá aprendí un poco, pero ni lo necesitas; por decir, en el *car wash* todos hablaban español, hasta los supervisores, y ya ellos se comunicaban con los patrones. Ya después, en el otro trabajo, los gringos y los morenos tratan de entenderse, de alguna forma se entienden contigo. Después, ya que teníamos más experiencia, ya sólo nos daban el plano para hacer el trabajo, y pues ya salía a hacerlo, no tenía problemas para comunicarme.

Estuve en Dallas dos años, allá intentaba ahorrar lo más que pudiera para mandarle el dinero a mi esposa y para la niña. Al principio rentaba un departamento con mi tío y con otros cuatro de aquí mismo de San Luis, así que de renta gastaba muy poco; ya después llegaron otros chavos, y había que darles chance para que se acomodaran, entonces ellos se quedaron ahí y nosotros fuimos a acomodarnos a otro lado, ahí vivíamos siete y pagábamos menos, costaba como 600 dólares o algo así, y entre todos pues era poco. Ya cuando llegaban otros, pues era menos, lo malo era cuando éramos sólo cuatro, pues aumentaba el costo, pero siempre se va a vivir mejor que aquí, aunque tengas que compartir todo con otros seis cabrones.

Siempre nos íbamos caminando al trabajo, pues estaba cercas. En comida casi no gastaba, pues prefería mandarle unos dolaritos más a mi vieja; comía cualquier cosilla en la mañana, y en la noche ya algo mejorcillo, como una carnita o quesadillas, pero nunca me fui a un restaurante como los otros, ni al *mall*. A veces sí me iba a tomar una cerveza, pero nada más; bueno, de vez en cuando a una disco, de ésas donde tocan música como la de aquí.

Así viví dos años, hasta ahora regresé a conocer a mi chiquilla, acá me siento más a gusto, aunque sí ganas menos dinero, y pues no te alcanza para nada; trabajo otra vez en la vulcanizadora, y el sueldo es mucho menos, gano 600 pesos a la semana, y pues se saca para lo necesario, pero nada más. Estar así siempre, ¡pues no!, allá puedes trabajar horas extra, y yo ya después alcancé ocho dólares por hora, y pues si trabajas un poco más te va rebién.

El regreso pa' México está refácil, sólo te trepas a un camión que te cobra entre 50 y 60 dólares, y ya estuvo. Ya hasta que estás de este lado es cuando te piden tus papeles, y dices que eres mexicano, que se nota hasta en la cara, y ya estás de vuelta.

Cuando estuve allá, la vida de mi familia acá mejoró bastante; compré todo lo necesario para la casa, para el chavillo, pagábamos la renta de donde vive mi señora y, pues en general, todos los gastos de acá. Cada mes enviaba, dependiendo del trabajo que tuviera, como unos mil o 500 dólares, se los enviaba con unos que están allá y que traen cartas y dinero, o si no, por esas computadoras que lo envías hoy y ya al ratito se los están entregando.

Quise volver un rato, pero para el mes que entra regreso;[3] tengo que irme igual, sin papeles, pues no hay otra forma, para arreglarlos está carajo, por eso digo que fui y voy a volver a ser mojado. Me iba a ir desde enero, a finales, pero se vino otro chavo también, y la persona que nos va a prestar el dinero para cruzarnos nos lo va a prestar a los dos, entonces se va a esperar hasta este mes, más o menos en 15 días me voy, y voy a pasarme igual, ya no con el mismo "coyote" que la otra vez, como lo había pensado; con otro que es más fácil, pues te lleva al río directo, en carro, cruzas el río y allá te recogen. Tardas dos días en llegar desde aquí, y te cobran lo mismo; sí me costea.

Está cañón, pues aunque te acostumbras un poco a vivir separado, mi bebé es lo que me agüita, pero pues qué más. Creo que ahora que regreso, como ya conozco, puedo salir más fácil, antes estaba esperanzado a que los amigos me consiguieran un trabajo, casa y todo, no puedes llegar y salir a buscar tú solo; pero ahora voy a regresar a lo mismo, a los muebles y a chingarle.

Sólo voy un año más y me regreso ya definitivamente pa' México, con mi dinerito ahorrado para mi casa. La primera feria que se gana se

[3] Declaración hecha en la primera entrevista.

va, y pues como dicen: el que no tiene y quiere tener, y pues cuando tiene nada más gasta y gasta, y no ahorra nada, al fin no tiene nada. Esta vez voy más consciente, voy a ahorrar un año pa' mi casa, y ya, a ver qué sale; pero yo me regreso a México.

Porque nomás decían que no podía

Sergio Medellín

Lo que hace de Héctor[1] un migrante especial es que la razón para dejar su hogar y emprender el viaje a Estados Unidos no fue falta de trabajo o de dinero, sino que fue un escape a un sentimiento de exclusión y rechazo, y una manera de probar a los demás y a sí mismo que no era un inútil. Además, según dijo: "estaba chavo, era hiperactivo y aventurero". Hizo su primer viaje al norte a los 15 años de edad, en 1982. Es originario del Distrito Federal, aunque desde hace cinco años vive en la ciudad de San Luis Potosí.

Vivía por el Politécnico, dentro de una familia a la que "no nos sobraba, pero tampoco nos faltaba". Estudió hasta la secundaria, en la que le iba muy bien por su gran capacidad e ilimitada sed de aprendizaje que se extendía a todos los ámbitos de su vida. Cuando tenía nueve años trabajó de cerillo en un supermercado cercano a su casa, y después en una papelería. Los fines de semana hacía entregas a pequeños pueblos y rancherías en provincia, por lo que a los 13 años de edad conocía muy bien el centro de México. A los 14 años pasó algo que cambiaría su vida y que lo impulsaría a irse "pa'l norte".

A Héctor le gustaba jugar en los trenes –ambiente con el que estaba familiarizado porque su padre fue ferrocarrilero–; un día, "por ahorrarme el pesero, que me subo a un tren y al momento de bajar que me rompo el pie". Sufrió una especie de gangrena que ocasionó la triste necesidad de que le amputaran el pie. Estuvo alrededor de un año en rehabilitación, sanó y aprendió a usar la prótesis que sustituye su pie. Sin embargo, en su casa se le hizo a un lado, se le consideró inútil, un

[1] Héctor prefirió permanecer en el anonimato. Lo conocí por medio de una trabajadora del hogar que es vecina suya. Fue entrevistado una primera vez el 5 de diciembre de 2000, y una segunda el 10 de febrero de 2001, en su casa, en compañía de su esposa y sus cuatro hijos. Se utilizó una grabadora de audio y una libreta.

estorbo, aun sus amigos lo excluían de los juegos "porque no iba a poder". Fue desde ese tiempo cuando la pérdida del pie lo hizo sentirse aislado y que debía demostrar "que sí podía hacer muchas cosas". Tomó esto como un reto y quiso salir de su casa para hacer algo que lo hiciera sentir mejor. Un amigo le dijo que se fueran a Estados Unidos y, acostumbrado a andar "de allá pa'cá", decidió irse al norte; primero fueron a Monterrey, y en febrero de 1982 a Laredo.

* * *

Mi amigo y yo nos fuimos a Laredo, y estuvimos caminando por el río cuando unas personas nos preguntaron que si queríamos pasar. Nos dijeron que ellos nos pasaban si les ayudábamos con sus cosas, y pues órale, nos acostamos en cámaras de llanta y nos echaron las cosas encima. Era un 14 de febrero y hacía mucho frío. Caminamos a una estación de tren que estaba como a dos kilómetros escondiéndonos de los faros y las camionetas de la migra. Éramos como nueve, pero en la estación nos dejaron que porque estábamos muy chicos; era de noche, entonces nos subimos a un vagón de tren y nos tapamos con unos cartones que había ahí, pero cuando despertamos ya habíamos pasado varios pueblos.

Esa vez no nos revisaron, porque casi siempre paraban varias veces ese tren. Como no sabíamos ni dónde estábamos, pues decidimos saltar del tren. Ahí era Pearsall, Texas, y un chavo de un carro nos dijo que nos fuéramos a una cantina, y que ahí él iba después; nunca llegó, pero el de la cantina nos dio trabajo por una semana limpiando el salón, y después nos consiguió trabajo en un ranchito como a 15 millas de Corpus Christi. Todos estos eran mexicano-americanos, o chicanos como les dicen, y eran amables, pero había unos muy racistas.

En el ranchito vivía un señor con su esposa en un trailer, hacía pintura y hojalatería, ahí aprendí; siempre aprendía rápido y le echaba muchas ganas, por lo de mi pie le tenía que echar más ganas. Mi amigo también trabajó ahí arreglando cercas, pero yo estaba en la hojalatería. También aprendí a pintar dibujos en los coches, y luego hacían concursos de los dibujos que traían en sus coches y camionetas. Estuve ahí ocho meses, viví con los señores y me daban de comer; entonces, me pagaban lo necesario, según la chamba, pero me iba bien. Después me fui con el hijo del señor a Corpus Christi, a un taller de hojalatería y pintura; me gustaba hacer cosas nuevas, entonces estuve ahí un año. Me gustó, aunque a veces me sentía muy aislado.

Me regresé unos tres meses a ver a mis papás, pero empezaba a aburrirme o a tomar mucho, y pues mejor me regresaba. Tenía 17 años –era 1984–, y me volví a ir, era época de frío, siempre me iba en esa época porque había menos migra. Nos cruzábamos por el puente negro, el puente del tren, ahí en Laredo. Nos íbamos entre las vías, o por abajo, por las vigas de la estructura del puente. Esa vez me agarraron como 15 veces, estuve ahí como 20 días tratando de pasar, habíamos como 300 personas ahí esperando pasar, dormíamos en un jardín. Pedíamos dinero para comer, y hacíamos una comida ahí para todos, nos íbamos como 150, y siempre pasaban como 10 o 15, ya no los veías.

Por eso después me empecé a ir solo, se me hacía más fácil. Los dos kilómetros al tren nos los echábamos como en tres horas, porque nos teníamos que ir escondiendo. Salían tres trenes: a las 11 de la mañana, a las dos de la tarde y a las 11 de la noche. La migra tenía camionetas y helicópteros; con el helicóptero te agarraban de volada. Yo a veces me iba atrás de ellos, atrás de la camioneta y no me veían, ¡ja ja! Como yo conocía los trenes por mi papá, me escondía debajo de los vagones o en las máquinas, era peligroso, pero nunca me pasó nada. Siempre revisaban en Cotula, y de noche alumbraban el tren con las camionetas a los lados.

La migra no nos maltrataba como dicen ahorita; si te ponías agresivo, pues sí te pegaban, pero yo creo que eso es natural, si te agreden y tienes poder, pues les vas a pegar. Nomás nos agarraban y nos regresaban, pero sí se enojaban cuando los hacías correr. Bueno, esa vez por fin pasé, llegué a Pearsall otra vez, y me conseguí un trabajo en un rancho cosechando papa y acelga; yo no sabía, pero aprendí rápido. Estuve ahí como seis meses. Vivíamos 12 personas en una casita, no estábamos holgados, pero tampoco apretados, cada quien tenía su cama.

Ahí trabajabas lo que quisieras, unos trabajábamos a destajo, según lo que cosecharas, y otros por salario semanal, nomás ocho horas. Nos levantábamos a las cinco y media, desayunábamos y al cuarto para las siete iban por nosotros. Éramos como 120 personas en los campos; como 50 mexicanos y los demás eran negros, güeros, guatemaltecos, salvadoreños y otros centroamericanos. Nos daban un canasto para la acelga y dos morrales, uno para la papa chica de segunda y otro para la papa grande de primera. Después lo cambiabas en el camión por una fichita, mientras más fichitas juntabas más te pagaban; yo sacaba como 45 dólares al día, y a la semana gastábamos como 70 en comida y otras cosas, sacaba una ganancia neta de 240 dólares semanales.

Después me fui a otro rancho más al norte, a la sandía; uno tenía que ir donde estaba el trabajo. Se sembraba en febrero y se cosechaba en abril y mayo. Llenábamos los camiones de 40 mil libras, y pagaban como a tres "pesos" las mil libras, y lo del camión lo dividíamos entre tres o cuatro que llenábamos el camión.

Después de la temporada, llegó de Chicago la hija del dueño; yo la llevaba muy bien con ellos, porque trabajaba muy bien, hasta se peleaban por mí cuando íbamos a llenar los camiones, para ver con quién me iba. En fin, se me antojó ir a Chicago, y ellos me pagaron el pasaje; me eché 24 horas en camión, y llegué al barrio mexicano, ahí conocí a un mecánico con el que estuve tres meses. Después me fui a un taller de herrería, ocho meses, con puros mexicanos; aprendí mucho ahí. Me impresionaba mucho ver a todo tipo de gente y de religión; ibas a un bar y encontrabas polacos, hindúes y hasta tuve un amigo checo. Ya hablaba más o menos el inglés. Me impresionó mucho también la construcción, una vez le estuvimos haciendo, como tres meses, la herrería a un restaurante de un jotito, en un edificio, y en lo que estuvimos construyeron 20 pisos; eso fue como el 87-88.

Me tuve que regresar porque enfermó mi padre, y me regresé pa'-trás cuatro meses, porque lo ayudé a caminar; le dio una embolia. Me fui de vuelta para Texas, y estuve en varios ranchos, en uno de marranos y vacas estuve más tiempo. El señor había estado en la guerra, era un gringo de esos enormes, y nos trataba bien. Ahí aprendí a manejar tractores, y también sembraba pasto; me encargaba de 800 cabezas de ganado. El rancho estaba grandísimo, tenía dos lagos artificiales y muchos pastizales. Una vez, cuando cayó una helada y no hubo trabajo, me fui con unos amigos a Missouri, trabajé tres meses de lavaplatos. Estaba bien, pero la gente ahí era más racista; vi a los del Ku Kux Klan, que eran más racistas con los negros, pero uno no podía andar a gusto.

Volví pa'trás al rancho, y el patrón nos iba a arreglar; nos pidió cartas de la familia, *tickets* de donde comprábamos la comida para demostrar que habíamos estado ahí mucho tiempo, todo eso ayudaba. Yo sí calificaba por el tiempo, pero cuando el patrón le preguntó al oficial por mí, dijo que yo no podía por mi pie, que iba a ser una carga para la nación. Además te pedían que te quedaras ahí quién sabe cuánto tiempo, aprendiendo inglés y la historia de Estados Unidos, que nos aprendiéramos el himno y lo cantáramos. A mí sí me dieron ganas de arreglarme, pero yo creo que era el destino, ya ahorita estoy casado, con cuatro hijos. Además, la verdad es que allá nunca dejarás de ser un grasiento mexicano, y sólo te tratan bien si les sirves de algo, si eres ganancia, si no te abandonan. Luego nos decían que nos casáramos con gringas para arreglarnos, con güeras, chicanas o negras, pero te bajaban mucha lana y te traían como trapo. Unos sí se arreglaron así, pero les fue muy mal, les tienes que dar tal porcentaje de tus ganancias, y las leyes las protegen mucho, ni se te ocurra decirles nada porque ya te metían al bote; no, a muchos les fue muy mal, y a mí no me gustaba, así por interés no quería yo casarme.

Como yo me movía en moto ahí en el rancho porque estaba muy grande; un día nos pusimos a tomar, y un amigo se fue en su coche y yo en la moto y nos pusimos a echar carreritas, en una vuelta agarré pasto y se patinó, me caí y me rompí la clavícula. Entonces le dije al patrón que para qué me quedaba si no podía trabajar, nomás me iba a gastar mi dinero ahí, entonces me regresé y ya me quedé. Nunca me quedó bien la clavícula. Ya después me casé con Mechita, mi esposa, tenía 25 años.

Estuve casi 10 años por allá; sí me gustó porque aprendí mucho, aprendí hojalatería, pintura, herrería y muchas cosas del campo; los tractores me gustaron mucho. Nunca me fui por el dinero, me fui por hacer algo, porque nomás decían que no podía por mi pie, pero siempre le eché más ganas que todos, y hasta me iba mejor, era una motivación para mí. Conocí muchos lugares, me paseaba mucho, fui a las torres gemelas en Chicago y a Six Flags en Houston; me iba a los conciertos, hasta fui a uno de Metallica, nomás pedía permiso. Siempre me gastaba el dinero, me compraba mis Levi's y ropa bien padre, para mí eso era lo máximo. No regresé con mucho dinero.

Fue una buena experiencia; además, gracias a Dios, nunca me faltó trabajo, eso era lo único que me importaba, y nunca me preocupé por eso, siempre me trataron bien los patrones. Además, yo soy como muy hiperactivo, siempre andaba haciendo algo o aprendiendo algo; eso les gustaba. Pero a los otros no les gustaba, sobre todo a los chicanos, que nos veían pa'bajo, y les daba envidia porque a mí me pagaban horas extra porque trabajaba mejor.

Pero uno sí ve cosas muy feas por allá, sí tuve mis malas experiencias; una vez, acababa de cruzar y andaba solo, y vi unos chicanos que andaban ahí comiendo y tomando, era Navidad, y se me hizo fácil ir con ellos, para ver si me daban algo, o que me dijeran donde esconderme, pero unos andaban ebrios y me sacaron una pistola, me tuvieron un rato ahí apuntándome en la cabeza, unos decían: "¡mátalo!", pero otros decían que yo no les había hecho nada, después de un rato me dejaron ir; eso estuvo bien gacho.

Otra vez, andábamos esperando cruzar, y habíamos pescado una carpa en el río, estábamos haciendo un caldo, llegaron dos chavos, les dimos un poco, y luego vimos que se fueron al río, iban a cruzar, pero estaba crecido, y además ese río es bien traicionero, tiene hoyos y remolinos. Ya para llegar al otro lado, uno se empezó a ahogar y desesperar, nosotros le gritábamos al otro que lo soltara porque si no se iban a ahogar los dos, hasta que lo desesperó también y le pegó; el que se estaba ahogando se hundió una vez, vimos que salió y se volvió a hundir y ya no lo vimos. Como tres días después nos dijeron que habían sacado un cuerpo allá en Matamoros, hay un malla para los ahogados.

Otra vez, andábamos cruzando por las vigas del puente, y una señora ecuatoriana se cayó, son como 15 metros, y el río no estaba profundo, además se golpeó con los cimientos del puente, ya tampoco vimos a la señora. Ves unas cosas muy tristes con los centroamericanos y de otros países más abajo, porque vienen cruzando quién sabe cuántos países, y ya en Laredo, que se creen ganadores, la policía mexicana los agarra y los deporta.

Una vez me iba a ir con un amigo a Miami, queríamos conocer, y ya llevábamos tres días en el tren y se nos había acabado la comida. Vimos en un campo a unos hombres trabajando, traían un overol blanco, y vimos que unos andaban haciendo café; pues que se nos ocurre ir a pedirles café, y eran unos presos, ¡ja ja!, que nos agarran y nos llevan a la cárcel con ellos, era la cárcel estatal; nos tuvieron ahí como un mes, nomás mi amigo y yo y eran como otros 10 negros en una celda, nomás nos veían bien gacho; habían otros dos mexicanos, pero eran narcos. Después ya fueron los de migración y nos llevaron a Houston, después nos deportaron y nos dejaron en Matamoros.

Siempre tenía los domingos libres y me iba a pasear, me gustaba mucho ver las diferentes culturas y religiones. Sí me gustó mi experiencia, aprendí mucho y nunca me pasó nada muy gacho. Sí me fue bien en el norte. Me quería ir a Sudamérica y luego a Europa, pero me casé con Mechita.

* * *

La historia de Héctor no es la típica historia de un migrante mexicano que va a Estados Unidos; él no se fue por dinero, ni porque su gobierno no le satisficiera, ni por la oferta y demanda de trabajo; no fue una respuesta al *push-pull* internacional de dos economías, ni a una migración familiar tradicional, sino a un hecho social y familiar. Héctor era rechazado por su grupo de amigos y en su familia a causa de la falta del pie, lo cual lo llevó a buscar un ambiente que le diera la oportunidad de demostrar que las limitaciones físicas no eran impedimento, apoyado en su espíritu aventurero y en sus ganas de aprender.

Tiene lugar de origen, el Distrito Federal, pero no tenía lugar de destino. Se fue a la frontera, a la aventura, a ver cómo cruzaba; no contrató un "coyote", lo pasaron por ayudar a cargar las cosas de otros que iban pasando. Héctor iba tejiendo redes sociales en las que encontró contactos para cruzar y conseguir trabajo. Eran redes muy informales, temporales, basadas en la amistad y el paisanaje, en cuya trama intervino su gran capital humano, voluntad y habilidad para aprender y su gran espíritu trabajador. Con habilidad y buen trato iba creando su capital social.

Migró de modo individual, y la ruta migratoria tradicional de la región donde vivía lo llevó a cruzar por Laredo. Su individualismo hizo que nunca dependiera de nadie, él trabajaba para sobrevivir, y nunca tuvo familiares allá, no creó un asentamiento familiar como se acostumbra. Tampoco hubo una reunificación familiar, ya que él no había creado una familia y sus familiares nunca desearon ir con él.

Durante su estancia en el norte respondió a la oferta y demanda de trabajo; cuando éste terminaba en algún lugar, se trasladaba a donde hubiera otro. Héctor respondía sin preferencias al mercado de trabajo por supervivencia, no con la intención de ahorrar dinero para la materialización de un objetivo específico. Su capital físico no era total debido a la falta del pie derecho; aunque, paradójicamente, este hecho aumentó su capital humano, porque él hacía más esfuerzo para nivelar esa deficiencia.

Héctor nunca analizó los beneficios, costos y riesgos económicos de irse o quedarse, sino en el riesgo social implicado en quedarse y seguir siendo rechazado. Encontró un beneficio, o simplemente un estímulo, en la búsqueda de otros ambientes, "aventurear", explorar.

Ahora bien, emigró en el periodo 1982-1992, etapa de la legalización de los mexicanos, que a Héctor no benefició. En 1982 México empezaba a tomar el rumbo hacia el neoliberalismo –como otros países en vías de desarrollo– marcado por la apertura de mercados, promoción del intercambio comercial, etcétera, cuyos efectos negativos eran evidentes: privatización de la economía y crecimiento del número de mexicanos pobres y marginados. En este contexto, Héctor viajó al norte, pero no fue la causa principal de su proceso migratorio.

Durante su vida migratoria nunca le molestó mucho el hecho de ser indocumentado, sino sus implicaciones, que incluían un cruce difícil, cansado y riesgoso de la frontera y un permanente sentimiento de ser fugitivo, dice que "no se sentía libre". Le hubiera gustado obte-ner su residencia por los beneficios que otorgaba el gobierno y para poder "andar a gusto".

Héctor vive ahora en Morales, y dice que "no se puede quejar"; tres de sus cuatro hijos acuden a la escuela, y ninguno "se ha muerto de hambre". Es repartidor de agua, tiene una moto con plataforma por la que pagó cinco mil pesos. Se le ve feliz porque tiene una familia unida, a la que ha podido dar lo suficiente. Además, como dice él, "hay que tomar la vida como venga, y tratar de salir adelante".

Migración femenina

María del Sol Orozco Gaitán
Arodí Monserrat Díaz Rocha
Marta Marcela Aguilar Orozco

El estudio de la migración femenina, sus factores y sus efectos, ha quedado a la zaga en los análisis del fenómeno migratorio, ya que todavía a principios de la década de 1970 se incluía únicamente en la variable sexo o, en el caso más favorable, en el estudio global de las migraciones como un dato que no aportaba en sí mismo cambios estructurales a las diversas teorías migratorias.

Dicho estudio no ha sido tarea fácil para los teóricos del tema, quienes en décadas pasadas analizaron la migración femenina con los mismos patrones aplicados a la masculina. En las siguientes décadas el estudio se redujo a la migración interna de mano de obra femenina de origen rural que se dirigía al medio urbano. Las migrantes se convirtieron en un foco de interés por sus efectos en la estructura ocupacional de las grandes urbes (Velasco, 1995).

En la década de 1970 y principios de la de 1980, el análisis de las migraciones generales empezó a tomar en cuenta los aspectos estructurales que relacionan al individuo con los procesos de cambio macroeconómico, lo cual evidenció nuevas variables de análisis, en las que el hogar (unidad doméstica) y, por supuesto, el papel de la mujer eran de gran relevancia, lo que provocó un auge en la investigación de esta materia.

Sin embargo, desde que empezó a difundirse la perspectiva de los estudios de género, éstos incluyeron los estudios de migración, y empezaron a emerger nuevos temas.

En la década de 1980, con la aprobación de IRCA (Inmigration Reform and Control Act), se incrementó de manera notable el flujo migratorio femenino. En buena parte se trató de un proceso de reunificación familiar, pero también se produjeron nuevos nichos laborales en los que la mujer era indispensable: la agricultura, las empacadoras, la industria del pollo, la industria textil y los servicios, en especial domésticos y de limpieza.

Así, las mujeres se integraron como actores al fenómeno migratorio y los estudios del tema ampliaron su enfoque hacia el análisis de la migración femenina. De este modo, empezaron a tomar forma los nuevos estudios que destacaron las considerables diferencias entre los patrones migratorios masculinos y femeninos (Woo, 1995). Desde la década de 1990 se ha continuado con la labor de investigación sobre la problemática femenina.

En este contexto de análisis se ubican las historias de vida de mujeres migrantes. Por medio de estas entrevistas ofrecemos al lector tres formas diferentes de integración, y distintos retos a los que tuvieron que responder nuestras protagonistas.

Una constante en la migración de las mujeres es que para ellas es más sencillo encontrar trabajo que para los hombres, aunque en general son más vulnerables a los peligros que supone cruzar la frontera. En palabras de Yolanda Castillo: "La vida en Estados Unidos es un poco difícil, tanto para una de mujer como para los hombres, pero en este caso es más fácil para nosotras como mujeres, porque donde quiera vas y pides trabajo y te lo dan".

En los tres casos, la migración se vincula al noviazgo o al hecho de casarse con un hombre inserto en circuitos migratorios, lo que, en ocasiones, resulta beneficioso para la mujer y, en otras, supone nuevas relaciones de poder y sometimiento. Otra característica común es la condición de indocumentadas de las entrevistadas.

Encontramos diferencias entre los tres casos respecto a la presión que ejercen los integrantes de la familia sobre cada una, lo cual depende directamente de la etapa de desarrollo en que se encuentra cada hogar. En otras palabras, lo que se espera de la mujer y los recursos a su disposición para responder a esas expectativas varían según reside en un hogar en etapa de formación, expansión o contracción, y según el papel que desempeña en el hogar –hija, esposa, madre, abuela– (Ruiz, 1995).

Encontramos, entonces, un panorama no solamente diverso por el contexto familiar de cada quien, también con diferentes problemáticas individuales que se deben apreciar en toda su dimensión para evitar hacer generalizaciones falsas acerca del mismo fenómeno migratorio femenino.

Al mismo tiempo es preciso estudiar los factores que afectan el ser de la mujer migrante y que provocan contradicciones entre su visión tradicional de relaciones de poder patriarcales y la autonomía adquirida en el lugar de destino.

Por pobre que estés, no estás tan pobre[1]

Arodí Monserrat Díaz Rocha

El anuncio "Se venden muebles casi nuevos" colgaba en la fachada de la casa de Malena, donde se llevó a cabo esta entrevista. Los muebles se han vendido ya, y el ambiente nos dice que pronto los habitantes de esa casa emprenderán un viaje.

Malena y su familia se alistan para migrar a Estados Unidos por tercera vez, con la intención de establecerse definitivamente en ese país donde sus redes familiares con hermanos, tíos y primos son fuertes, y el riesgo es menor por los vínculos que les facilitarán la obtención de trabajo y casa en el norte.

Por esa razón Malena y su familia decidieron regresar a Estados Unidos, las diferencias en los niveles de ganancia y empleo y el capital social que tienen en el norte incrementan la posibilidad de obtener una mejor calidad de vida.

No es como la primera vez que se fueron, en 1975, en la época de los indocumentados. En la etapa posterior a la migración legal de los braceros –en la que participó el papá de Malena– se habían tejido amplias redes que empezaron a facilitar e incentivar la migración y, como el único recurso era la migración indocumentada, esta fue la forma en que nuestra protagonista se integró a la sociedad estadounidense.

Ahora regresan con los papeles en regla, ya obtuvieron la nacionalidad estadounidense gracias a las facilidades otorgadas por la llamada ley IRCA, y con la esperanza de encontrar al fin un lugar donde establecerse y echar raíces.

La siguiente entrevista es una forma de acercamiento a la realidad de Malena y su familia, quienes comparten sus experiencias y decepciones en el ir y venir a través de la frontera norte.

[1] Esta entrevista se llevó a cabo en la casa de Malena, en la ciudad de San Luis Potosí, el 3 de diciembre de 2000.

Malena es de piel clara, casi blanca, con algunas pecas, y rasgos heredados de sus antepasados españoles, por lo cual mi primera pregunta fue dónde nació. Me respondió que en Tequestitian; describió ese lugar y cómo fue fundado.

* * *

Todo empezó cuando unos compadres de mis padres fueron a invitarlos a irse a unas tierras que estaban desocupadas y buenas. Mis padres son de Michoacán y vivían en Villa Victoria, pegaditos a Jalisco, dichas tierras estaban en esa ciudad, así que era nada más irse un poco más al norte; además, donde vivían, mi padre no era dueño de la tierra que sembraba. Así, pensando en mejorar su situación, se juntaron varias parejas que eran amigas y se fueron a un pueblo, La Huerta, Jalisco, más bien al lado de ese rancho, y encontraron muy buenas tierras.

En esa época, me cuenta mi papá que uno llegaba cortaba los árboles, los tiraban, ahí se instalaban, y hasta donde pudieran agarrar, ya que todo ese pedazo que tomaran era suyo, no había todos los trámites de gobierno, ni a quién le importara. Mi mamá me contó que acamparon en el suelo hasta que construyeron su casa de adobe, y que había una gran cantidad de sapos, que en mi pueblo son grandes, gordos y espantosos, por lo que mi mamá les tenía mucho miedo, así que agarraba la escopeta de mi papá y los mataba a balazos.

Mis padres fueron de las parejas fundadoras del pueblo de Tequestitian, llegaron mis tres hermanos mayores, y ahí nos tuvieron a los demás, en total somos once. Nuestra ranchería era un sitio atrasado y pobre, donde las personas que quieren superarse se van al norte, y los que se quedan es porque no les queda de otra, porque para ir al otro lado o tienes dinero o tienes familia y amigos que te reciban y ayuden allá.

Nuestro papá ganaba lo suficiente, pero la agricultura de temporal hizo que a veces tuviéramos para comer bien y otros días para comer mal, pero siempre había que comer. Todo iba bien hasta que llegó la reforma agraria al rancho a principios de los cincuenta, nos quitaron parte de nuestras tierras, y tuvo mi papá que arreglar papeles, según cuenta mi mamá, todo esto coincidió con los primeros rumores de que en el pueblo había un hombre contratando gente para irse al otro lado.

Sería durante los cincuenta que mi papá se empezó a ir de bracero, pues cuando yo nací, mi papá ya tenía varios años yendo y viniendo de los Estados Unidos. A él lo contrataron en el pueblo, de La Huerta, un hombre que tenía arreglos con compañías gringas, pero no era fácil, no vayas a creer que era bien rapidito, no, había que arreglarse con él e irse por seis meses que duraba el trabajo. Después se empezó a ir por medio de las contrataciones que se hacían en el pueblo; había que hacer fila y esperarse hasta que lo revisaran, era bien humillante, te pedían bien sano, te revisaban todo, dice mi papá, pues nos cuenta que el padrino de una de mis hermanas se fue con él a que lo contrataran, pero los desvestían todos, para revisarlos bien, se lo juro, porque no creerá que no contrataron a su compadre porque tenía una hernia, eso cuenta mi papá.

De mi infancia sólo recuerdo el monte, porque Tequestitian es puro monte y vacas; de niña hacía lo que todas en el rancho, jugar con los hijos de los amigos, pero hasta ahí, porque mi mamá no nos dejaba alejarnos mucho, además éramos muchos hermanos como para aburrirnos.

Me levantaba temprano, nos mandaba mi mamá a la escuela y, cuando regresábamos, pues a andar chacoteando. Si era temporada en que mi papá estaba en casa, entonces no hacíamos mucho relajo, y nos portábamos mejor, incluso mi mamá no nos regañaba tanto.

Siempre teníamos que ayudar a cuidar lo que sembrábamos, que era bien poquito, sólo dos matitas de frijol, varias de maíz y de lo que se le ocurriera a mi mamá plantar. A veces teníamos animales como gallinas; una vez tuvimos unas vacas, pero se enfermaron y se murieron.

En el rancho las etapas de la vida como que son más cortas, sobre todo cuando eres mujer. Mi papá decía que las mujeres nacíamos para casarnos, y por eso a ninguna de mis hermanas ni a mí nos dejó terminar la primaria, pues pensaba que no era necesario, sólo a los hombres los dejó estudiar.

No recuerdo cuándo dejé de ser niña y pasé a ser adolescente, porque en el rancho todo es más rápido; por ejemplo, una de mis hermanas se casó de 13, y para algunos todavía era una niña, para otros adolescente y para ella pues yo creo que ya se sentía adulta.

A mí me empezaron a gustar los muchachos desde chica, pero casi para cumplir 15 yo ya andaba con novio, y ya con los 15 cumplidos fue cuando me escapé con mi novio, como quien dice ya era adolescente o más bien ya había dejado de ser adolescente, ya era adulta, aunque ahora que lo pienso estaba bien chiquilla, ¿verdad?

Mi novio tenía 25 años, 10 más que yo, él iba y venía seguido al otro lado, hasta que me propuso que nos fuéramos y yo acepté porque lo quería, pero también porque estaba aburrida del rancho y quería ver qué había más allá.

Nos fuimos de noche, cruzamos toda la República a pie, bueno, si no toda la República, sí nos fuimos desde Tequestitian hasta Tijuana a pie. Caminamos como unos cinco días o una semana, mi novio ya se sabía el camino y donde comer, así que aunque fue muy cansado llegamos bien, y ya estando en el cruce fue todavía más fácil; no le miento, tardamos como veinte minutos en cruzar, era refácil porque no había tanta migra como ahora.

Cruzamos por el monte, porque yo le tenía miedo al agua, y en cuanto llegamos al otro lado ya nos estaba esperando una camioneta de un "coyote" conocido de un primo de mi novio; si no me puedo quejar, casi no batallamos, yo no tengo ninguna tragedia que contar.

Mi embarazo transcurrió frente al televisor, en ese tiempo no había muchos mexicanos por donde vivíamos, así que ni a qué salir, aparte que mis pariente vivían lejos, por lo que se me dificultaba ir a visitarlos. Mi único consuelo era la tele, donde todos los programas eran en inglés; no entendía nada, pero aprendí inglés rápido por las telenovelas que era lo que me gustaba ver, pues se entienden fácil, aunque no sabía lo que decían, me lo imaginaba; por ejemplo, si salía una pareja mayor, pues entendía que eran los padres y que los más chicos eran los hijos, y así te vas imaginando la trama; que los novios, que la malvada, etcétera.

Teníamos ocho meses viviendo solos cuando me alivié, en 1975, de mi primer hijo, necesité de un intérprete en el hospital; pero ya para 1978, que me alivié del segundo, pude darme a entender sin necesidad de intérprete, fue la primera vez que vi lo útil que había sido aprender el idioma.

Mi esposo trabajaba en Yaqui, Washington, en el campo, en la manzana, cereza o pera, pero casi siempre en la manzana. Aunque todo iba bien, teníamos nostalgia, sobre todo yo, porque había salido de mi casa sin permiso, y estaban enojados mis papás y no los había visto, ni conocían a sus nietos, por eso le dije a mi esposo que regresáramos a México, y él también quería porque está cansado de trabajar tan duro, por eso regresamos cuando me alivié de mi última hija.

Lo que más me desagrada de Estados Unidos es la forma de educar a los niños; esa teoría de los psicólogos norteamericanos de darles a escoger, de preguntarles, eso está mal, es malcriarlos. Al niño no se le pregunta; ya me imaginó, yo preguntándole a mi hijo: "¿quieres unas papas o espinacas?", pues claro que va a contestar que unas papas, por eso no le preguntas, le das las espinacas, que es lo mejor para él.

A mis hijos yo los eduqué bien, a lo mexicano, por eso nunca me llamaron de la escuela por ser desordenados o rebeldes, gracias a que les di sus golpes a tiempo, a mí me obedecen con la pura mirada que les echo cuando están haciendo algo malo o que me disgusta. La mayoría de mis amigas tienen miedo de darles unos golpes porque van a llamar a la policía, yo le he dicho a los míos que si le hablan a la policía voy a dejar que los recoja el gobierno, que los eduqué y los mantenga el Estado, yo hijos desobedientes no voy a solapar.

El sistema se come a la gente allá y pierden los principios, por eso hay que ser más astutos y no dejar que los hijos lo rebasen a uno; el gobierno no tiene que educarlos, eso es trabajo de los padres. Por eso yo creo que los hijos deben ser educados en la casa o afuera los educan a golpes, preferible que se los dé uno, porque no hay que olvidar que cualquiera es padre en la calle, y más en una sociedad como la norteamericana.

Regresamos en 1980, tenía como ocho meses mi hija más chica, y el más grande cinco años; había estado seis años fuera, y fue un gusto regresar a México y ver a mis padres; pero eso fue sólo al principio. Después anduvimos de aquí para allá, por el trabajo de mi esposo, en Jalisco, Colima, ciudad de México, hasta que llegamos a San Luis Potosí y ahí nos quedamos durante tres años. En total estuvimos nueve años en México, no sé por qué nos aguantamos tanto, a lo mejor fue porque no les queríamos dar el gusto de regresar a los parientes que se habían burlado de nuestro retorno, diciéndonos que a qué veníamos a México, que aquí no había nada para nosotros, y encontramos que tenían razón.

En primer lugar, el empleo que consiguió mi esposo, aunque no era muy bien pagado, era de los mejores pagados, pero teníamos que cambiarnos constantemente hasta que nos establecimos en San Luis Potosí; pero la primera traba que tuve fue la escuela de mis hijos. Cuando llegamos a San Luis Potosí mi hijo mayor ya tenía siete años, y lo tratamos de inscribir a la escuela, pero fue un problema, así que le enseñábamos en la casa. Después intenté de nuevo inscribirlo, pero no me lo quisieron aceptar porque no tenía acta de nacimiento mexicana ni cartilla de vacunación; lo del acta tardaron en dármela, pero estuvo fácil el trámite, lo complicado fue lo de las vacunas, no me quisieron vacunar a ninguno de mis hijos porque no sabían si ya se las habían puesto o no; la pasé muy mal.

Por último me aceptaron al más grande en tercer año cuando tenía nueve años, ya vivíamos en San Luis, y al otro en primer año. Por eso mis hijos estudiaron ya grandes. Eso en Estados Unidos es diferente, en cuanto llegas puedes llevar a tus niños a vacunar al hospital, nunca te niegan las vacunas, y la escuela es gratuita de verdad, no que aquí te piden la cuota de padres de familia, la inscripción, útiles, es un gasto grande, además cuando nos regresamos a Estados Unidos no batallamos para inscribir a los niños a la escuela.

Con lo que nos había pasado con la escuela de los niños, sumando que el sueldo no era bueno y que teníamos dinero para irnos, nos regresamos a Estados Unidos en 1989; regresamos a finales de 1989, y volvimos a hacer trámites para inscribirlos en la escuela; el mayor entró a la *high school* y los otros iban a lo equivalente a la secundaria.

Conseguí mi primer trabajo en un centro comercial, después me fui a una empacadora de frutas en 1991; era grande, había alrededor de 300 empleados, casi todos de origen mexicano, de mi turno eran el 90 por ciento mexicanos, y la mayoría indocumentados, y eso lo supe porque un día llegó la migra y el turno se quedó solo, todos corrimos, los que alcanzamos a salir nos escapamos y a los otros los agarraron y los deportaron.

Mi esposo también regresó a trabajar en el campo, y la economía familiar mejoró mucho para 1995, porque nuestros hijos ya eran adolescentes y se metieron a trabajar por las tardes. Para 1997 ya teníamos ahorrado un buen capital, y decidimos regresar a México a intentar establecernos otra vez; nos fuimos sólo mi esposo, dos de mis hijos y yo, porque el mediano, Kennedy, acababa de ser aceptado en 1996 en la marina de Estados Unidos y estaba becado estudiando ayudante de doctor.

Llegamos directamente a San Luis Potosí y rentamos una casa, compramos muebles buenos y otras cosas; sin embargo, nuestra primera decepción fue cuando salió mi esposo a buscar trabajo. Él sabía utilizar las computadoras más avanzadas para revisar los coches, pero resulta que aquí todavía no utilizan esa tecnología, y se tuvo que emplear en algo más atrasado.

El salario que le ofrecieron era de los mejores pagados en su ramo aquí en México, y después lo ascendieron y era el mejor pagado del área; ni así la hacíamos, ganaba dos mil semanales, pero como no estamos acostumbrados a pasar penurias, comprábamos cosas buenas y salíamos a pasear, y en eso se nos iba el dinero, se nos acababa pronto. En México el salario es muy bajo, así que por treinta pesos yo no iba a trabajar, por lo que había un solo ingreso, pues me dijo mi marido que por ese dinero mejor me quedara en la casa, ya que gastaba más de transporte.

Otra vez nos equivocamos al regresar, y lo supe enseguida, no debimos venir a México, aquí se batalla en todo. Un ejemplo lo tienes en los camiones donde viajas como tortillas; en cambio, con una semana trabajando cuatro personas en Estados Unidos se compran un carrito, viejito, pero sí lo puedes comprar, aquí es muy difícil; no sé cómo le hacen las familias para sobrevivir con el mínimo, nosotros ya no podemos acostumbrarnos a limitarnos, como lo hacen todos; que subió la carne, si antes comprabas un kilo ahora compras un medio, ¿qué vida puede ser ésa?

Resumiría la vida aquí como triste, aunque seas trabajador no se puede vivir aquí. Por eso yo creo que de vivir pobre en México a vivir pobre en Estados Unidos, mejor en Estados Unidos, porque por pobre que estés no estás tan pobre como en México, porque allá hay más ayuda, como la oficina de desempleo que te regresa lo que aportaste en tus años de trabajo.

Puedo decir que estoy tranquila con mi conciencia porque intentamos vivir en México, pero aunque queremos a este país, no se puede, porque aquí todos los días escuchas que sube el gas doméstico, el huevo, la leche, y el salario ¡abajo quedó!

Nos vamos a regresar cualquiera de estos días; de hecho, la semana pasada ya nos íbamos, si no es porque mi hija se enfermó de una gripa bien fuerte, y nos esperamos para que se aliviara para irnos.

Aquí ya no nos queda nada, todos mis hermanos están allá, sólo mis papás están en Tequestitian, pero ellos van seguido a Estados Unidos a visitarnos; por eso nos vamos a regresar mañana mismo si mi esposo consigue los boletos, pero aquí no volvemos a regresar si no es de turistas.

* * *

Malena, seria, con un tono de reproche y decepción, terminó la charla con esas palabras; miró por la ventana, yo hice lo mismo, y me di cuenta de que había anochecido. Me levanté de la silla, y con la cabeza –y la libreta– llena de información, de preguntas olvidadas y respuestas confusas, sólo atiné a decirle: "Ojalá estés por aquí pasado mañana, me gustaría hacerte otras preguntas, porque ahorita ya no hubo tiempo". Extendió la mano y me contestó: "Si no me encuentras, ya sabes dónde andamos"; y agregué: "Claro, por ahí nos veremos el próximo verano".

Un juego como de albur

Marta Aguilar Orozco

Desde la falda del cerro se veían demasiados escalones, y tenía que subirlos para platicar con Yolanda.[1] Ella estaba arriba, en la Rinconada, una pequeña cuevita en donde hace algunos años se apareció la Virgen de Guadalupe dejando su imagen plasmada en una gran roca. Desde entonces, la gente sube al cerro para visitar a la Virgen, dejarle algunos recuerdos o hacerle peticiones. Yolanda y sus familiares que habían venido de visita desde Estados Unidos iban bajando la empinada escalera cuando los encontré a la mitad de ella. Regresé con ellos, y ya abajo comenzamos a platicar. Todos oían con atención lo que Yolanda decía sobre su experiencia en Estados Unidos, y es que en realidad las cosas que aprendió y vivió allá la han hecho ganar un respeto especial de las personas que la rodean.

Yolanda emigró para seguir a su esposo y alejarse de los problemas que tenía con su familia política. Sin embargo, cuando se fue tuvo que tomar la difícil decisión de dejar a sus hijitas en el pueblo. Muchas mujeres han vivido este tipo de situaciones que comprometen su papel de madres o esposas, y de hecho son estos papeles los que impiden a las mujeres que emigran, a diferencia de los hombres, desplazarse a más lugares, a distancias mayores, por un periodo largo y de manera independiente. Las mujeres migrantes encuentran obstáculos ante los cuales deben idear estrategias que les permitan sobrevivir en los lugares de destino. También encuentran beneficios que marcan sus vidas para siempre. Todo esto le sucedió a Yolanda mientras radicó en Estados Unidos de 1981 a 1991.

[1] Yolanda vive en un municipio de San Luis Potosí, tiene 35 años de edad, y durante doce vivió y trabajó en Estados Unidos. El lugar de realización de la entrevista fue elegido en función de su gran tradición migratoria. La primera entrevista tuvo lugar en Cerritos, en casa de la entrevistada, en diciembre de 2000; la segunda, en febrero de 2001, y su testimonio fue grabado y posteriormente transcrito.

Se fue de manera ilegal y, después de trabajar algunos años, en 1986 se convirtió en "rodina" por haberse beneficiado de las modificaciones a la ley de inmigración de 1986 (conocida, por sus siglas en inglés, como IRCA).

Lo que sigue es el testimonio de Yolanda, tan sólo una historia de las tantas que pueden contar las mujeres que emigran.

* * *

La vida en Estados Unidos es un poco difícil tanto para una de mujer como para los hombres, pero en este caso es más fácil para nosotras como mujeres porque donde quiera vas y pides trabajo y te lo dan, y si tienes familiares allá y puedes alojarte con ellos o con amistades que sean sinceras, pues es mejor. A uno de mujer le dan más fácilmente trabajo en donde sea; pero hay que tener cuidado porque sinceridad ya la hay muy poca y es muy peligroso para nosotras, porque nos ven solas y piensan que somos débiles. Realmente es difícil. Yo estuve doce años viviendo allá de planta.

Desde chiquilla siempre anduve de un lado para otro; mis papás se separaron cuando yo tenía cinco años y por eso viví en varios lugares; le ayudaba a mi papá en un negocio ambulante que tenía, y por lo mismo nunca tuve una casa fija, vivía con familiares, con conocidos.

Cuando cumplí 14 años, mi papá decidió venir a dejarme al pueblo con mi madre y mi padrastro. Durante ese tiempo yo me sentía desprotegida, no me gustaba sentir que no era de ningún lado, había sufrido abusos y no sabía qué esperar de la vida, nadie me aconsejaba.

Mi padrastro tenía una cantina, así que me puse a ayudarle a despacharla y allí conocí a mi esposo. Él era pobre, pero se vestía muy bonito, muy elegante, además yo sabía que él iba para Estados Unidos, y como mi ilusión siempre había sido ir para allá, pues pensé que con él la iba a hacer económicamente. Pensaba en los dólares, esos billetes raros que traían los que regresaban... Como yo estaba muy chica, 15 años, y nadie me aconsejaba, y pensaba que después de lo que había sufrido de niña nada más malo podía pasarme, decidí confiar en él.

Estaba deslumbrada, y pues me casé con él, con Eugenio, porque ya no quería estar de cantinera, a pesar de que ni mi familia ni la de él estaban de acuerdo. Eso nos trajo problemas, porque vivíamos en la casa de los padres de mi esposo, y mi suegra no me quería, desconfiaba de mí por mi historia y mi trabajo en la cantina. Salí embarazada luego luego, y despuecito mi esposo me propuso irme para el otro lado. Antes de irme tuve un par de gemelitas, y mi suegra me las quitó, se quedó con ellas y, hasta al año que regresé de Texas, aquí en el pueblo supe que ya habían enterrado a una.

Yo peleaba mucho con toda la familia de mi esposo porque eran muy duros conmigo, y por eso acepté irme para Estados Unidos. Como él de bien jovencito empezó a ir para allá, como es "coyote", ya sabía con quien me iba a ir a dejar, yo no conocía a esas gentes y estaba asustada; sí sufrí, pero por mi inocencia confiaba en él. Yo pensaba que si él era "coyote", me iba a llevar a Estados Unidos e iba a andar vestida como él, que íbamos a lograr una casa y hasta un carro, no pensaba nada más. Familiares de mi papá también habían viajado a Estados Unidos y a todos les había ido bien, por eso estaba entusiasmada, pero ahora sé que era muy ignorante.

El día que nos fuimos a Estado Unidos, en marzo del 81, me fui en una camioneta Van azul marino, sola entre puros hombres desconocidos porque a mi esposo lo separaron de mí y se fue en otra camioneta, una roja. Había dos camionetas más, así que entre todos éramos como unas 70 personas. En esa temporada mi esposo no estaba trabajando porque la idea era quedarnos en Estados Unidos a trabajar juntos.

Nos fuimos por Piedras Negras, por Ciudad Acuña, y cuando llegamos a la orilla del río escuché unos cánticos de unos pájaros raros que yo nunca había oído; allí empezó mi temor. Quería estar con mi esposo, me sentí sola y me acordé de lo que había pasado en mi vida y pensé en que a mis tíos que iban a Estados Unidos también les había costado trabajo. Tenía sed, tenía mis necesidades y entre puros hombres me daba pena. Dondequiera se oía ruido entre las ramas, murmullos, niños llorando entre lugares escondidos a lo lejos, porque por donde nosotros cruzamos, que es una parte baja del río, no hay tanta protección de árboles. Yo pensaba en la gente que veía, en por qué se iban de México.

Eran como las siete de la noche, y en la orilla del río nos encontramos mi esposo y yo. Algunos se regresaron, no quisieron pasar el río. El agua estaba helada, había viboritas en el agua. Nos iban a cruzar caminando, pero la migración estaba vigilando; al final nos pasaron en unas lanchas de dos en dos, o de cuatro en cuatro, de no cargar tanto la lancha. Cuando empezamos a brincar el río, la migración nos empezó a afocar, y los "coyotes" que nos llevaban nada más estaban esperando que la migración se quitara para podernos brincar. Los que brincábamos nos escondíamos del otro lado, y el "coyote" se preocupaba porque todavía tenía otra parte de gente para cruzar. Hasta que brincamos todos nos detuvo en un lugarcito en el monte. Por fin cruzamos, y no nos apartamos ya; mi esposo y yo estábamos abrazados.

Ya en Estados Unidos, mi esposo me fue a dejar a un pueblito que se llama Uvalde, luego estuve en Capul y en Conquián. En Uvalde estuve como siete meses. En el primer lugar que trabajé fue un hospital para animalitos. Ahí batallaba bastante para comunicarme; yo le decía al patrón: "¡español, español!", pero no me entendía nada. Me era difícil tener las comunicaciones en inglés porque en los ranchos hay muchos rancheros que son americanos, nacidos allá de padres mexicanos, pero que hablan puro inglés, y yo no podía entenderles nada. Eso fue lo más difícil; me comunicaba a puras señas, yo lloraba, me desesperaba porque no podía comunicarme, pero en cuanto comencé a conocer algo de inglés las cosas se me hicieron más fáciles.

Mi esposo hablaba por teléfono algunas veces, mi patrón me hacía la seña de que me hablaban, pero yo no entendía, y por eso un muchacho que también trabajaba allí, Juan, me ayudaba a comunicarme, pero me decía: "sí, sí te voy a comunicar con el patrón, pero mientras tengas una relación íntima conmigo". Me presté con él para poder comunicarme y sentirme más segura, más protegida, para poder defenderme mejor, para poder hablar inglés. Llegué a sentirme bien a gusto con Juan, tanto que, aunque al principio haya sido chantaje, incluso llegué a enamorarme de él. Me ayudó mucho porque cuando me fui del rancho ya era más independiente, pero en ese rancho sufrí muchas cosas, problemas y abusos.

El hijo de mis patrones estaba jovencito, como de unos catorce años, bien crecidote, altote, güero güero, era americano el muchacho, se llamaba Ken, y él también se aprovechaba de mí, y yo ni cómo decirle *eh, beehive, oh stop, I don't like nothing with you, get out off here, don't touching to me man*... Yo lo puchaba, pero pues quién me defendía... además estaba entre pura persona que hablaba inglés, pero ya que aprendí me volví tremendísima, cuando aprendí dije: "nadie más se aprovecha de mí".

Todo hubiera sido más fácil si hubiera tenido al lado unos familiares que fueran un respeto; como no los tenía, fue mucho más difícil que aquí en México. Yo tenía temor de muchas cosas, de engañar a mi esposo a pesar de que estábamos enojados y me había ido a dejar allá; me sentía traicionada por mi esposo que me había dejado allí y se había ido a otro lado que yo no sabía, sentía que no me quería, pero al mismo tiempo me sentía culpable de estar con otros hombres.

Me chantajearon en muchas ocasiones, realmente me fue difícil estar en Estados Unidos porque soy una persona que no tuvo escuela, pero a través del tiempo, gracias a Dios, logré lo que yo quería; mi sueño era tener pasaporte.

Es mejor cuando tienes una familia por allá, y quién mejor que alguien muy apegado a tus padres, porque de esa manera no se sufre. Estados Unidos es muy duro, aunque también depende del camino que uno quiera agarrar, ya sea hombre o mujer; hay tentaciones de lo que quieras, y malas amistades sobran, te encuentras con muchas personas que te invitan que al *pul*, que es el billar, y allá se acostumbra que todo mundo se mete a jugar a las cantinas, a los bares. También hay lugares familiares, pero incluso ahí hay mucha drogadicción; en todos lados, pero más en Estados Unidos. Ya que me acostumbré, no se me hizo tan difícil vivir en Estados Unidos, aunque en algunas ocasiones, por mi forma de actuar, de no pensar, pues sí me iba mal en la vida; todo depende de cómo uno se sepa sobrellevar, si le gusta a uno salir a las diversiones, pues le pasan más experiencias, pero eso es porque uno se lo busca. Si no te falta nada en casa, mejor quedarte ahí; es mejor cuando ya de tu casa tus padres te entregan a algún hombre, y aún así todavía va a haber riesgos de cómo irá a ser.

Eso de salir de tu casa e irte para allá es un juego como de cartas, un juego como de albur. Yo tengo una hija de dieciocho años y sus deseos son estar en Estados Unidos, y le digo: "no, mi'ja, hasta que usted se case yo la voy a soltar, sola no se va". Eso se lo digo porque las experiencias que yo viví fueron demasiadas y me pasaron por estar sola y no conocer el idioma. Hay demasiado desorden allá en Texas, muchas tentaciones. Es muy difícil separarte de los tuyos, y creo que es mucho mejor estar con ellos, aunque se sea pobre. Aquí comemos pobremente, nopalitos, frijolitos, calabazas, algo del campo; hay muchas maneras de poder vivir, no necesitamos precisamente de Estados Unidos en cuanto tengamos buen pensamiento y buena mentalidad. Sin embargo, algunas veces me gustaría volver a Texas, porque tengo mi residencia, pero no voy porque estoy mal de salud.

En cuanto al trabajo, no batallé, pero no estaba contenta; me acordaba de acá y no encontraba cómo explicarles que me embarcaran en el bus pa' salirme para México. Me fue más difícil por los primeros cuatro años; pero allá es muy diferente a aquí; allá está todo fácil, no batallas, lo que quieras lo consigues fácil, las comidas son rápidas... es bonito, se vive bonito. Las comodidades se te dan según sea tu deseo de tenerlas; si le echas ganas, logras lo que quieres, hasta una camioneta del año puedes sacar, aunque ahora es más difícil que cuando yo anduve en Texas, en el 81.

Un cuñado que tengo fue por mí y me llevó a San Antonio, yo estaba chiviada de todo lo que había vivido, y no sabía qué iba a pasar, cómo iría a ser en ese nuevo lugar. Él pensaba que se me iban a cerrar las puertas, que las personas con que me dejó me iban a tratar mal, pero no fue así.

Mis patrones tenían una cadena de restaurantes, Christian Tacos, la señora era mexicana, y yo tenía miedo por lo que me habían contado de que había mucha discriminación entre los mismos mexicanos, de hecho me tocó ver cómo entre los mismos mexicanos se andaban matando por allá; pero esa señora es muy buena persona, y no tuve nunca ninguna dificultad; al contrario, ella me daba consejos como una madre. Con ellos no batallé porque hablaban los dos idiomas, español e inglés, *so*, las cosas se me hicieron más fáciles. Mientras trabajaba con ellos, se vino un tiempo de amnistía; iba a haber arreglos para las personas de todo el mundo, en el 86, y mis patrones, que se habían vuelto mis amigos, me ayudaron a obtener mi residencia y me arreglaron pasaporte.

Cuando tuve problemas físicos, enfermedades, y estuve en el hospital por una operación del apéndice y de otro accidente que tuve, mis patrones firmaron por mí como mis padres, ellos daban un tanto, mil dólar, mil quinientos o dos mil dólar. También, mientras trabajé con ellos pude tener mi seguro social; éste funciona de manera que, si uno trabaja, a fin de año le mandan a uno una cantidad de dinero, porque de cada cheque que vas ganando te van recogiendo una parte.

Hasta eso, en Estados Unidos el gobierno está más o menos, porque él nos ayuda a nosotros que no tenemos esposo, a personas que nos interesa trabajar, no a cualquiera, y ahora menos en este tiempo, ahora está más difícil para que le den ayuda material a las personas que lo necesitan. El gobierno de allá ayuda a todas las personas de cualquier país, dan estampillas que es un dinero que vale mucho, hay buena ley allá, lo apoyan a uno bastante, le saben ahorrar a uno su trabajo; claro, para eso hay que tener papeles.

En el 91 regresé de Estados Unidos y me vine a vivir al pueblo, desde entonces no me he vuelto a ir. Ahora las cosas con Eugenio están mejor, y viene de San Diego cada que puede. Ya tengo dos hijos más, uno de once y otra de ocho años. Aquí en México estamos pobres, pero de ahí no ha pasado. Pero en Texas tuve muchos problemas y consecuencias malas por no saber el idioma. Lo que yo viví allá me sirve ahora para darles consejos a mis hijos, yo les digo que no se vayan para Texas, les explico que la comunicación es complicada, que la situación con los otros mexicanos es dura. Yo experimenté de todo allá en Estados Unidos, cosas buenas y malas que hubieran sido más fáciles de enfrentar si no hubiera estado sola.

Mrs. Nadia Páez[1]

María del Sol Orozco Gaitán

En mi familia, de las cuatro personas que radican en Estados Unidos tres son mujeres. Es un hecho, las mujeres incrementan progresivamente las cifras estadísticas de los flujos migratorios. Esto demuestra que lo que hace unas décadas hubiera parecido irrelevante, hoy está desfasado. Es curioso que, a pesar de que la sociedad mexicana es calificada de machista y en un principio sólo emigraban los hombres o la familia dirigida por un patriarca, hoy las mujeres emigran solas y por determinación propia.

Por ello esta entrevista se centra en el caso de Nadia Páez, una mujer que, como otras en circunstancias sociales parecidas, se vio obligada a irse a Estados Unidos. Debido a su preparación y desenvolvimiento le fue fácil encontrar un trabajo y ascender de puesto dentro del sector servicios. En un hotel se encarga de organizar banquetes. Lo anterior confirma que a pesar de su juventud, de la condición de ser mujer en una sociedad machista, incluso la barrera del idioma, una persona puede forjarse una vida digna si cuenta con la voluntad y determinado capital social.

La experiencia de Nadia permite cuestionarnos cuál es el papel de la mujer mexicana en nuestro contexto actual. Los flujos migratorios no sólo demuestran cómo se producen o modifican los papeles femenino y masculino, también ayudan a configurarlos.

Nadia es un claro ejemplo de que día a día las mujeres de clase media mexicana rompen con una condición de subordinación y adquieren autonomía e importancia económica en la conformación de sus familias.

[1] Entrevista realizada en enero de 2001. Nadia Páez es originaria de la ciudad de San Luis Potosí, y vive en Carolina del Sur, Estados Unidos. En septiembre de 2001 cumplió 24 años de edad. La entrevista se realizó por teléfono y algunos detalles fueron confirmados mediante cartas y correo electrónico.

* * *

¿Qué por qué estoy acá? Mmm... fueron muchas cosas. Primero, conocí a Héctor en un verano que vino a visitar a su abuelita de San Luis Potosí. Él, como yo, es potosino, pero desde chico se fue a vivir a Georgia. En segundo lugar, porque la escuela no me gustaba y tenía ganas de viajar y conocer Estados Unidos. Para convencer a mi mamá de darme permiso para viajar le inventé que iba a estudiar inglés y que viviría con Lili, la prima de Héctor. Al principio le sorprendió la idea de que me fuera a estudiar porque yo era medio floja, pero le pareció un buen plan esto de que me fuera, además estaba tranquila porque conoció a Lili y a Héctor durante sus estancias en San Luis y le cayeron muy bien.

Por un tiempo creí que sospechaba que me quería ir a vivir con mi novio, pero si hubiera sido así no creo que me diera permiso. Qué pena que te cuente esto, pero en esos momentos estaba tan enamorada que no me importó nada, ni mi mamá ni mis abuelos ni mis amigos. Y lo mejor es que no me arrepiento; claro que a veces me entra la nostalgia, pero mientras sepa que están bien soy feliz.

Además, uno de mis sueños era tener un bebé. Después que me extirparon un ovario me sentía muy deprimida por la posibilidad de no tener hijos. El doctor me dijo que sí podía concebir, pero a los 21 años yo no creía normal tener problemas de ese tipo. Y cuando Héctor me propuso matrimonio no lo pensé dos veces. ¡Y ya ves qué chula está mi chiquita!

Otra cosa que me animó a irme fue el hecho de que Nancy, mi hermana mayor, está en Forth Worth con su esposo y les va muy bien. ¿Por qué a mí no?

En la víspera de mi partida renové mi visa que estaba vencida. Dos meses antes había ido a ver a Nancy a Texas; investigué precios de los vuelos, fechas y horarios, fui con una amiga de mi mamá que tiene una agencia de viajes para que me aconsejara. También platiqué con unos amigos de Lili que van en verano, pero ellos se van en autobús y hacen un viaje maratónico. Acordé la fecha con Héctor, para que fuera por mí al aeropuerto de allá. Y listo, en unas semanas atravesaba los aires para reunirme con mi media naranja; esto fue a finales de 1998.

No niego que sentí miedo, pero cuando llegué, al ver a Héctor y a mis suegros esperándome en el aeropuerto, me sentí más segura. Ese día fue inolvidable, me llevaron a conocer Savannah y paseamos todo el día;

todo estaba saliendo muy bien. De cualquier modo, yo traía dinero para regresarme en caso de que algo malo sucediera. Ese día hablé con mi mamá para hacerle saber que estaba bien y que todos se habían portado muy lindos conmigo. Ella lloró y sentí tristeza porque ella estaba solita allá.

Al día siguiente me instalé en casa de Lili en una isla llamada Hilton Head Island; aquí viví con ella hasta antes de casarme. Aunque era pequeñita era preciosa. Ahí trabajé en el hotel Main Street Inn, que era también pequeño –casi todo era pequeño en la islita–, pero era de los tres más importantes porque contaba con 35 habitaciones, cada una distinta a las demás y con jacuzzi. El estilo del hotel era irlandés. En Hilton Head hay un restaurante mexicano que se llama San Miguel's Mexican Cofee, donde cenamos un par de veces; muy bonito, medio caro, pero los postres eran deliciosos. Los empleados eran mexicanos, y de inmediato nos hablaron en español.

Dos días después de mi llegada empecé a trabajar. Durante esos días Héctor pidió permiso en su trabajo y estuvimos juntos, por eso me acompañó a las entrevistas de trabajo. Me sentí insegura porque yo no hablaba inglés bien, pero la güera que me contrató –mi ex jefa– era buenísima onda conmigo. Ella era una *hostess*, y yo le iba a ayudar con los eventos y banquetes del hotel. En San Luis trabajé desde chica en el café de mi abuelo, por eso sé cocinar muy bien y organizar y dirigir banquetes; esto me ayudó muchísimo en este empleo, porque ahora soy *hostess* de un hotelito que está cerca de donde trabaja Héctor.

No creo que en esta parte de Estados Unidos discriminen a los latinos; yo pensaba que por ser morena me iban a tratar mal, pero nada de eso, todos en el hotel nos querían mucho a Lili y a mí.

Ahora Héctor y yo trabajamos en otra isla que está a tres horas de Hilton Head, que se llama Myrtle Beach, en Carolina del Sur; ésta es mucho más grande y hay más movimiento, pero yo prefiero la islita que era más tranquila. Sin embargo, aquí Héctor gana lo doble que yo ganaba en aquella. Quizá extraño Hilton Head porque tengo muchos recuerdos; ahí me casé, hice mis primeras amistades de aquí, agarré seguridad para trabajar, ahí supe que estaba embarazada y me gustaba mucho.

Pero como Héctor ya encontró donde, conseguimos un departamento cerca de Myrtle. Es donde vivo ahora, Bluffton, un lugar muy bonito, donde viven todos los que trabajan en nuestra isla.

En 1999 me casé. Fue una ceremonia sencilla, pero muy a gusto. Cuando mi mamá supo por teléfono que me casaba se quedó helada, sin decir ni media palabra por unos diez minutos. Yo pensé que me iba a colgar o algo peor; pero lo único que me dijo fue: "El próximo lunes me voy para allá", y colgó. Pensé que iba a armarme un pancho, pero lo asimiló muy bien y sólo vino a darme su bendición. Y por supuesto vinieron a la boda ella, mi abuela y mi hermana y su esposo. Todo estuvo muy bien.

En abril del año pasado, es decir, el 2000, uno de mis sueños se hizo realidad: nació mi hija; yo quería que se llamara únicamente Denisse, pero Héctor le puso mi segundo nombre Lizzet. Y ahora la pequeña Denisse Lizzet Páez ya tiene nueve meses. No puedo pedir más. Él es un buen papá, tenemos trabajo y mis suegros están dispuestos a echarnos la mano cuando lo necesitemos.

A lo largo de mi embarazo mi mamá me visitó cuatro veces. Pudo haber venido más veces, pero tenía mucho trabajo en el despacho. Pero ya amenazó con venir a vacacionar durante los veranos a la isla. Mi embarazo fue normal, y no tuve mayor problema que los ascos, bochornos y mareos; yo pensé que iba a tener problemas, pero gracias a Dios no los tuve. El trabajo de Héctor cubría los gastos del embarazo y parto, así que por eso no me preocupé; yo dejé de trabajar los últimos meses porque con el calor que hace no era soportable.

El parto fue fácil, pero mi mamá tuvo que venir a cuidarme un mes, pues por mis problemas estuve hinchada de una pierna y del vientre. Por ahora no quiero otro bebé; Denisse nos absorbe todo el tiempo. Y como somos primerizos damos risa.

La única vez que sentí ganas de regresarme fue la vez de un ciclón, en la que hubo que acudir a un refugio, pero fuera de esto, el clima es paradisíaco.

Creo que mi vida ha dado un giro de ciento ochenta grados, no sólo porque soy una madre muy joven, sino porque el vivir en otro país y abrirse paso en él es una experiencia muy padre.

Migrantes de clase media

DUKE

Jorge Durand

La migración entre México y Estados Unidos es un fenómeno masivo y centenario en el que la dependencia estructural de mano de obra barata por parte del país del norte se suple con la oferta generosa y en ocasiones desbordada de la mano de obra mexicana. A diferencia de otros flujos migratorios latinoamericanos, como los de Argentina, Perú y Ecuador en los que predominan los sectores medios, en los de México siempre han predominado los sectores popular, obrero y campesino. Los migrantes de clase media fueron hasta hace poco la excepción que confirmaba la regla.

Sin embargo, desde finales del siglo XX los emigrantes de clase media han empezado a aumentar y a constituir un grupo especial que merece ser atendido y estudiado. Al parecer, las repetidas crisis económicas son las que han empezado a generar salidas, que encuentran en el campo migratorio una opción. A diferencia de otros países latinoamericanos donde la crisis empezó a afectar seriamente a los sectores medios en la década del setenta, en el caso mexicano este es un fenómeno propio de mediados de los noventa.

Los casos que aquí se presentan ponen de manifiesto que hay una ruptura en el nivel de vida de los sectores medios que obliga a los jóvenes a emigrar. Una vez clausuradas las expectativas de estudiar en una universidad privada, participar en el negocio familiar u obtener un trabajo a la altura de sus ilusiones, muchos jóvenes se están lanzando a la aventura en busca del sueño americano. A diferencia de la migración tradicional de corte indocumentado, en el caso de los migrantes de clase media la mayoría ingresa con visa de turista a Estados Unidos y suele prolongar su estadía o incorporarse al mercado laboral. Técnicamente, estos migrantes son considerados como *visa adbusers*, una forma "elegante" de entrar a Estados Unidos que, obviamente, les evita serios riesgos y costos, pero que no les quita el estigma de indocumentados. Paradójicamente, los más pobres y con menos recursos deben invertir mucho más dinero y poner en riesgo su vida para ir a trabajar al otro lado.

No obstante, para los migrantes clasemedieros la experiencia laboral no es fácil. Su mercado de trabajo es mucho más reducido. Tienen vedado el medio agrícola, rehúyen las tareas de limpieza, evaden los trabajos sucios y peligrosos en los que laboran tantos migrantes mexicanos. Por lo general, una forma fácil y segura de ingresar en el mercado laboral es en el medio restaurantero y, en algunos casos, en fábricas o negocios donde trabajan parientes. Con todo, deben integrarse a un medio donde comparten experiencias y trato con otros migrantes de otro nivel social. En algunos casos, les favorece tener mayor grado de educación, lo que les permite escalar más rápido en el mercado laboral. En otros, las nociones de inglés adquiridas en la secundaria y preparatoria les posibilita aventajar en el aprendizaje del idioma, lo que redunda, a mediano plazo, en mejores puestos de trabajo y mejores salarios.

Como quiera, los instrumentos que tenemos a mano para analizar y estudiar la migración mexicana a Estados Unidos no están adaptados para estudiar a los migrantes de clase media. Por lo general, las encuestas, entrevistas y estudios de caso se hacen a migrantes provenientes de sectores populares. Los migrantes de clase media son más difíciles de encontrar, en primer lugar porque son un grupo reducido, en segundo término porque se confunden con migrantes que tuvieron un proceso de movilidad social en Estados Unidos y pasaron a formar parte de los sectores medios bajos. Técnicamente, el migrante clasemediero es aquel que proviene de una familia de clase media e incursiona en el mercado de trabajo binacional. Los estudiantes universitarios, por ejemplo, no formarían parte de este grupo porque no están incorporados al medio laboral.

Se han hecho algunos avances en el estudio de migrantes profesionales de clase media, que ingresan con visa, que en su mayoría provienen de la clase media, pero considero que se trata de un problema diferente. Éstos suelen ser migrantes legales, contratados para desempeñar labores específicas, en la industria de punta.

Por otra parte, se ha podido constatar que los mecanismos de reciprocidad y solidaridad funcionan de manera diferente en los sectores medios que en los populares. Nadia Flores ha podido constatar y medir que la solidaridad es mucho más alta entre los migrantes de origen rural que entre los emigrantes de origen urbano. El migrante de clase media puede recibir a parientes en su casa o departamento, pero suele tener un límite muy claro. No pueden ni están acostumbrados a vivir en el hacinamiento y valoran mucho la comodidad y la intimidad. Por el contrario, en muchas familias del medio popular el hacinamiento es sobrellevado con naturalidad, y la falta de comodidades se considera como algo normal en su condición social.

Finalmente, habría que señalar que los migrantes mexicanos de clase media suelen aislarse o separase de los que provienen del medio popular. No hay mucha comunicación ni conocimiento entre un sector y otro, lo que limita en buena medida la solidaridad grupal, que se restringe únicamente al grupo de amigos cercanos y familiares. Asimismo, el nivel de expectativas es totalmente diferente; mientras que el migrante de origen popular tiene como objetivo primordial sobrevivir, el migrante de clase media tiene aspiraciones mayores, y no está dispuesto a correr demasiados riesgos y pagar costos elevados por llegar a una posición social que considera como algo dado, heredado.

Las entrevistas que aquí se presentan ponen en evidencia los derroteros por los que han tenido que pasar migrantes de clase media y clase media baja. Se trata de un primer esbozo de la problemática migratoria de origen medio, un fenómeno que irá en aumento en las próximas décadas y sobre el cual será necesario profundizar.

La tierra que me vio nacer[1]

Guillermo López Parra Bravo

Esta es la experiencia de Alfonso Bravo, un hombre de 72 años de edad que en su juventud migró a Estados Unidos con el deseo de encontrar la oportunidad de mejorar su calidad de vida. Su inexperiencia y la costumbre social hicieron que a los 16 años de edad intentara cruzar la frontera de manera ilegal, a pesar de contar con acta de nacimiento estadounidense, pero la mala suerte se lo impidió. Años después regresó a la frontera con gran ilusión de cruzarla, y en 1946 entró por primera vez a Estados Unidos.

La historia de Poncho –como lo llaman sus amigos– es peculiar; el destino quiso que naciera en Los Ángeles, California, de padres mexicanos, lo cual le proporcionó la doble nacionalidad que, con el paso de los años, supo aprovechar para obtener mejores trabajos y elevar su calidad de vida.

Dentro de sus planes se encontraba casarse y llevar consigo a su esposa a radicar en Estados Unidos, pero diversas situaciones se lo impidieron y, finalmente, decidió regresar a México, donde, debido a un problema relacionado con su situación de doble nacionalidad, tuvo que optar por rechazar la nacionalidad estadounidense.

Durante su estancia en el vecino país del norte tuvo variados empleos, desde segar hierba en el campo hasta manejar una máquina industrial. Don Alfonso considera que Estados Unidos es un país lleno de libertades y oportunidades, "un país en donde si quieres trabajar, te lo permiten". Su historia no está exenta de malos ratos, pero en general tuvo una buena experiencia. Indudablemente su situación legal tan particular le facilitó enormemente la entrada, la circulación y la obtención de diversos trabajos en Estados Unidos.

[1] La entrevista se llevó a cabo en diciembre de 2000, en casa del entrevistado. Se utilizó una grabadora. En una segunda sesión se completó el contenido de la entrevista, y en esa ocasión se tomaron sólo algunas notas.

* * *

Siempre tuve muchos deseos de ir a Estados Unidos porque yo nací allá; no es que yo sea gringo, sino que mis papás andaban en California cuando mi mamá estaba embarazada, y en esos días empezó con los dolores, y pues me tuvo en Los Ángeles. De hecho, soy el único de mis hermanos que es nacional de allá, de Estados Unidos. Cuando nací tuve un problema y me tuvieron que operar; me quedó una cicatriz bien grande en el costado, bajo el brazo izquierdo. Estuve cerca de ocho meses en el hospital y cuando me dieron de alta mis papás se regresaron a México.

La primera vez que intenté entrar a Estados Unidos fue cuando tenía 16 años, pero no tuve éxito, no logré entrar. Aunque yo tenía acta de nacimiento de Estados Unidos, en esa ocasión no la llevé. Me fui en autobús con dos amigos, y como ellos no tenían documentos nos fuimos todos juntos de ilegales. Al llegar a la frontera nos robaron todo nuestro dinero; nos regresamos ayudando en un camión de carga y trabajando en el camino, lavando coches, cargando cajas y todo tipo de enseres; hicimos como 15 días de Laredo a México. Al regresar a mi casa, yo tenía mucha pena con mi papá, porque él era muy enérgico y de carácter muy fuerte y pensé que se iba a decepcionar de mí, pero él me dijo que era una experiencia más y que no me debía preocupar. Ahora que lo pienso bien, me debí de haber llevado mis papeles, pero la inexperiencia lo hace a uno cometer muchos errores.

Pasaron dos años, yo tenía novia, la mujer más chula del mundo, y me quería casar, pero no daba la situación para casarme; aunque a veces conseguía algún trabajito, el dinero no era el suficiente. Fue en esos días cuando un amigo mío, que se llamaba Guillermo, que había ido a trabajar a Estados Unidos, regresó después de haber estado seis meses allá; él se había ido de mojado y me contó que no era muy difícil conseguir un buen trabajo, y que además se sacaban muy buenos centavos; me preguntó que si quería yo ir a trabajar. Yo tenía muchos deseos de ir porque yo nací allá, en California, y más porque no había podido entrar dos años antes, quería demostrarme a mí mismo que sí podía mejorar, tenía muchas ilusiones y planes que quería realizar; entonces, me fui para allá, pero ahora sí con mi acta de nacimiento, algunas credenciales y con los papeles que tenía para ver si lograba pasar. Nos fuimos en autobús, me llevé 600 pesos que eran en ese tiempo

50 dólares; con eso fue suficiente para llegar a Laredo, Texas. Al llegar nos fuimos caminando a la garita; mi amigo cruzó con su pasaporte y a mí me detuvieron, no me querían dejar pasar porque dudaban que el acta que yo les enseñaba fuera mía realmente; decían que había muchos mexicanos que conseguían actas falsas y que intentaban cruzar de manera ilegal. Mi acta sólo decía que Alfonso Bravo había nacido el 25 de enero de 1928 en Los Ángeles, California, así que les mostré algunas identificaciones que yo llevaba, de la escuela y de otros lados. Me hicieron una serie de preguntas, me pusieron un aparato para ver si no estaba mintiendo; fue cuando les mostré una cicatriz que tengo en el costado izquierdo, la de la operación de recién nacido. Luego me preguntaron: "¿A dónde vas?". Les dije: "A California, con un tío mío; él me va a recibir en su casa". Me creyeron y anotaron en mi acta de nacimiento que yo tenía esa cicatriz y que así podía identificarme con el acta. Finalmente me permitieron pasar.

De ahí tomamos un autobús directo a Los Ángeles. Llegamos y fui a visitar a mi tío que vivía ahí, que era sacerdote; nos recibió muy bien, estuvimos como dos o tres días ahí, nos daba de comer, e inmediatamente se ofreció a conseguirnos trabajo, pero los deseos de aventura de uno hicieron que nos fuéramos a San José. No encontramos chamba, la gente decía que no había mucha oferta de trabajo, pero que en los cultivos sería mucho más fácil que nos contrataran. Entonces nos fuimos al campo, a un lugar en donde contrataban a puros mexicanos, y una cosa curiosa de ahí es que casi todos eran de un pueblito de Guanajuato; eso se me hizo bien chistoso, porque todos se conocían y cada semana llegaba alguien nuevo y todos lo recibían con mucho afecto. Nos dieron chamba en el desahije; trabajábamos 12 horas corridas, de las seis de la mañana a las seis de la tarde, aunque de repente nos daban 15 minutos de descanso. Nos dieron un azadón pequeño y en unos surcos que medían como una milla teníamos que separar unas hierbitas que eran de betabel para que no enraizaran unas con otras. Por las noches dormíamos en unos vagones en donde había cerca de 20 camas. Ganábamos a dólar la hora, pero sentíamos que nos hacía falta más dinero, porque a veces nos íbamos a viajar y se nos acababa muy rápido la lana. Un día Guillermo me dijo: "Oye, Poncho, fíjate que hay un chorro de gente que quiere cortarse el pelo y no saben cómo. Yo en México trabajé en una peluquería, ¿te avientas conmigo a cortarles el pelo?". Yo le respondí que sí; al fin y al cabo así podíamos sacar algo de dinero extra.

En todo el campo había como 100 gentes, así que cada día hacíamos dos o tres cortes. Los cobrábamos a medio dólar. Esa fue una buena idea. En ese trabajo estuvimos como tres meses, y cuando terminamos fuimos a otro campo en donde nos pusieron a pizcar cereza. Ahí nos pagaban a 80 centavos el balde que llenábamos; en un día alcanzábamos a entregar cerca de 30 baldes. Era un trabajo más tranquilo, te daban escalera y todo.

En el campo había mucha gente, la mayoría eran ilegales. A mí me dijeron que malamente estaba yo ahí porque no era ilegal; así que mi amigo y yo nos regresamos a Los Ángeles con mi tío. Después conseguimos un trabajo en un cementerio, en donde nos dieron una máquina para cortar pasto, como un tractorcito. Estuvimos así como tres meses, nos pagaban a 1.60 dólares la hora, juntamos algo de dinero, y el afán de ir a otro lado nos llevó a Sacramento; conseguimos trabajo en una empacadora, nos pagaban a dos dólares la hora, pero trabajábamos de noche, de ocho a ocho. En esa época había mucha oportunidad de conseguir trabajo y luego buscar otro con mejor sueldo, por eso se trabajaban sólo dos o tres meses. Eso lo hace a uno andariego; a veces íbamos a Los Ángeles, otras a Sacramento, a San Diego, en fin, se tienen todas las opciones del mundo para mejorar.

Mientras estaba en uno de esos trabajos saqué mi seguro social, me fui a registrar en el ejército con todos mis papeles; me dieron una clasificación en la cual decía que yo no era apto para combatir por la operación que me habían hecho de niño y que me había dejado la cicatriz bajo el brazo izquierdo. Seguí trabajando, y de lo que saqué allá en California me regresé a México y me casé. En la ciudad de México tuve varios trabajos, pero no me llenaban, no ganaba lo que yo quería. Mi esposa y yo vivíamos con mis papás, en su casa, teníamos una recámara, y ahí también vivía mi hermana con su esposo y otro de mis hermanos.

A raíz de eso yo, ¡caramba!, veía que había que luchar, y en 1952 me regresé otra vez y me fui a Chicago; yo entraba como nacional, como debe de ser. Encontré un trabajo mejor en Production and Steel Company of Illinois, estuve trabajando ahí como seis meses cachando unas láminas que cortaba una máquina con unos guantes especiales. El mayordomo de esa empresa, que se llamaba Frank, me trataba muy bien; como tengo las manos flacas me pusieron un apodo, *Lady fingers*. Un día me preguntó: "oye, ¿sabes leer?". Le dije: "sí, señor". Me pidió que le hiciera unas cuentas. Las hice, y como conocía bien los números me pasaron a la máquina a cortar las láminas en diferentes medidas. Pude llenar unas formas para que a mi mujer le mandaran el *incom tax* por correo, así que eso nos ayudó mucho, además de que yo le mandaba dinero para que lo fuera juntando y a ver si así nos podíamos comprar un terrenito. Yo rentaba un cuarto en 12 dólares a la semana; tenía un buen trabajo, me divertía, en ocasiones llegaba a cobrar cheques de 300 dólares a la semana, o sea que ganaba muy buen dinero.

Cuando estaba trabajando en esta empresa llegó un 16 de septiembre, todos los mexicanos, porque en esa ciudad hay muchos, salimos a festejar la independencia de México. Nos fuimos a tomar unas cervezas y después salimos a gritar ¡viva México! ¡Mueran los gachupines! La verdad creo que gritamos demasiado fuerte porque unos puertorriqueños que estaban cerca nos empezaron a gritar y a decir que los mexicanos éramos bien flojos y que mejor nos deberíamos de poner a trabajar en lugar de estar bebiendo y haciendo desmanes. Nosotros nos calentamos, pues porque no andábamos haciendo nada malo, solamente festejábamos como cuando ellos festejan el cuatro de julio, que hasta cuetes avientan y todo; entonces nos empezaron a insultar, y nosotros no nos íbamos a quedar parados, así que les contestamos, y total, nos agarramos a golpes con ellos. Luego luego llegó la policía y que nos agarran a todos, nos llevaron a la cárcel y nos encerraron; ésa fue la primera y la única vez que he estado en la cárcel. Me dio mucho miedo, me sentía muy mal porque no sabía cómo le iba a hacer para salir; pero eso sí, la cárcel es muy diferente a las de México; lo sé porque una vez fui a visitar a un amigo en el D.F. Está todo limpio y adentro te tratan muy bien, los policías no son como en México que se aprovechan de ti. Tal vez fue porque yo traía mis papeles de ciudadano americano. Al amigo con el que yo había ido a celebrar, que no tenía papeles, lo regresaron a México; nunca lo volví a ver. Yo estaba desesperado, así que le hablé a Frank, el mayordomo, y le conté lo que había pasado. Afortunadamente me creyó e inmediatamente fue a pagar la multa, que luego me descontaron del sueldo, y fue así como pude salir.

En ese tiempo al esposo de la hermana de mi cuñado, que era radiotécnico, no le estaba yendo muy bien en México, así que una vez que vine me lo llevé a Chicago y le conseguí trabajo. Esa vez se fue mi esposa conmigo, vio cómo se vivía allá y estuvo de acuerdo en que nos fuéramos a vivir a Estados Unidos, pero cuando llegó el invierno dijo que era mucho frío y entonces se quiso regresar a México; esto ya fue como en 1955. También otra de las razones por las que me había venido era porque estaban reclutando a las reservas militares; aunque yo tenía la clasificación 4F, la que decía que yo no podía ir a combate, empezaron a cambiar las clasificaciones. Me pusieron 1A, y me pidieron presentarme en Forth Worth, Texas, en un campo militar. Yo no me quise esperar más, me dio miedo y fue cuando me vine a México.

Pero después me localizaron aquí en México, en ese entonces yo trabajaba en una pasteurizadora, Leche Sanitaria, en donde el gerente general de ahí era Conwell C. Brown, que había sido mayor en la guerra, así que le conté mi problema y él me ayudó; fuimos a la embajada de Estados Unidos, y todo se arregló de la mejor manera. Dije que era casado, que tenía hijos y me dijeron que todo estaba bien y me quedé con la nacionalidad americana.

Posteriormente ingresé a trabajar al Frontón México, en donde era cajero. En una ocasión me robaron 10 mil pesos mientras me descuidé; yo no los había tomado, y me sentí muy mal. Entonces pensé en irme de nuevo a Estados Unidos, pero mi esposa me dijo: "si te vas, van a pensar que tú te los robaste". Entonces fui a hablar con mi jefe, el señor Moisés Cosío, él me ayudó mucho y a los tres meses me hicieron cajero general del Frontón México, en donde permanecí cerca de quince años.

Posteriormente tuve problemas con mi cartilla, porque también hice mi servicio militar aquí en México. En 1967 fui a un edificio del Zócalo, en el D.F., a sellar mi cartilla porque me la pedían para un trámite, y un general de los que estaban ahí decía que como yo no había nacido en México no era mexicano y me tenían que mandar a Estados Unidos, pero otro general le dijo que había una ley que decía que si mis padres eran mexicanos, entonces yo era mexicano. Empecé a tener muchos problemas por esa situación. Yo tenía un amigo que trabajaba en Relaciones Exteriores, y un día me dijo: "Poncho, si quieres vamos a la secretaría, y yo te ayudo para que renuncies a la nacionalidad gringa". Entonces fui y por mi propia voluntad declaré y me dieron mi carta de renuncia, con la cual yo ya soy mexicano, y saqué mi pasaporte.

Yo viví muy a gusto en Estados Unidos; se trabaja muy bien, si tienes el deseo de trabajar, te lo permiten. Al mismo tiempo me dieron la oportunidad de ir a la escuela, en donde estuve perfeccionando un poco mi inglés. Tuve trabajos pesados, pero bien remunerados; ganaba buenos centavos. De lo que gané allá, junto con lo que me pagaban aquí, me pude hacer de mi casa, puse un negocito y mi familia tuvo un modo de crecimiento mejor al que yo tuve.

Mi familia y yo hemos ido de vacaciones a Estados Unidos. Me reciben muy bien, muy a gusto, entro con mi pasaporte y tengo familiares allá, como es mi hermana; hablo con mis sobrinos y ellos dicen que me ayudan en todo lo que quiera, me reciben si voy a visitarlos. En fin, yo estoy muy contento.

...Y DE AHÍ NACIÓ LA IDEA[1]

Luis Jesús Martín del Campo Fierro

Con la inscripción De Ávila en la matrícula circula un lujoso BMW por las principales avenidas de la ciudad de Chicago, su conductor en ocasiones dirige la mirada al sol con el fin de ubicarse, como es común hacerlo en su natal Cerritos, municipio del estado de San Luis Potosí, lugar de sus añoranzas y del que conserva algunas de sus prácticas y tradiciones.

Florencio Frank de Ávila Morales, quien posee una franquicia de la State Farm Insurance, la compañía de seguros más importante de Norteamérica, radicado en la ciudad de Chicago, Illinois, nació el 11 de septiembre de 1951. Constantemente preocupado por el bienestar de sus paisanos al enfrentarse a las dificultades que la experiencia migratoria representa, Frank ha sabido, no obstante el éxito económico que ha logrado, mantener firme el nexo solidario con quienes, al igual que él, han tenido que dejar su país en busca de las oportunidades que su propio terruño no les ha sabido brindar.

Consciente de las constantes dificultades que enfrentan los hispanos en Estados Unidos, ha sabido llevar su compromiso de apoyo para con sus coterráneos hasta el grado de presidir la Asociación de Clubes y Organizaciones Potosinas en Illinois (ACOPIL), organización cívica a través de la cual se brinda todo tipo de ayuda a los migrantes potosinos que así lo requieran.

La gran experiencia en cuestiones migratorias adquirida durante sus años de activismo social en favor de sus paisanos hacen que sus apreciaciones en ese sentido, al margen de su historia particular, sean de gran utilidad para nuestro estudio. Por lo tanto, más que un relato, lo que Frank nos convida es un análisis de las condiciones específicas que motivaron su salida del país hacia Estados Unidos.

[1] Entrevista (grabada en audiocasete) realizada en la ciudad de San Luis Potosí, el 29 de diciembre de 2000.

* * *

Mi niñez fue como la de cualquier otro en mi comunidad; jugaba con los demás niños y, a decir verdad, nuestra situación económica era bastante aceptable; mi padre solía visitarnos de cuando en cuando llevando dólares que había ganado en Estados Unidos, a donde decidió partir en 1955, tras darse cuenta de que la agricultura no daría más.

Cuando me fui a Estados Unidos yo era un niño, y obviamente la decisión de irme no fue propia, sino de mis padres. Y la decisión de irnos fue por razones económicas: mi padre era en ese tiempo agricultor, sembrando tierras propias, pero la región de donde yo soy, Cerritos, San Luis Potosí, es una región de agricultores de temporal que no producía mucho, por lo que mi padre decidió irse. Me pongo a pensar que si hubiese habido garantías para el agricultor en caso de que no se pudiera producir suficiente, pues yo creo que no habría sido la migración tan clara y tan marcada como lo fue en ese tiempo.

Según yo recuerdo, quienes hicieron el viaje hacia el norte en aquel tiempo fueron gente del pueblo de clase media, los que tenían los recursos para viajar hasta tan lejos; bueno, en aquel tiempo ir a la frontera o más allá se consideraba muy lejos, y se necesitaba dinero y, según yo recuerdo, los primeros que partieron fueron agricultores, gente que tenía tierras, que tenía tractores, ganado, en otras palabras, gente con recursos económicos; y al haberse ido para allá comenzaron a producir un beneficio económico, comenzaron a mandar dinero a sus familias y eso las mantuvo a nivel de clase media en su localidad.

Mi padre fue uno de los pioneros en emigrar del municipio hacia Estados Unidos, primero se fue él solo en 1955, y regresó por el resto de nosotros, mis hermanos y hermanas, diez años después. Durante los años posteriores comenzó a notarse esa oportunidad que existía al norte de la frontera y a multiplicarse el número de personas que dejaban sus terruños en busca de mejores oportunidades.

Como Estados Unidos es un país económicamente mejor que México, en ese tiempo había una gran diferencia, que todavía existe, por lo tanto, el beneficio económico sería el poder vivir mejor, cumpliendo con las necesidades básicas de una persona: alimento, ropa, un techo sobre la cabeza, y como familia, como hermanos y padres e hijos, íbamos a estar finalmente todos juntos, pero lo malo fue que íbamos a dejar nuestro terruño, a nuestros amigos de toda nuestra vida, de toda nuestra infancia.

En nuestra situación en particular, así como en todo Cerritos, la gran mayoría de quienes migraron tenían sus documentos, su mica. Mi padre y otras personas nunca tuvieron el estátus de indocumentados, porque en aquel tiempo era prácticamente fácil de conseguir una mica, nada más era cuestión de aplicar y pagar la cuota correspondiente. Es más, cuando mi padre se fue pasó por Monterrey a recoger su mica de camino a Estados Unidos. A los diez años que nosotros nos fuimos para allá, también nosotros salimos de México con nuestros documentos, con nuestras micas para vivir en Estados Unidos legalmente.

Así, tomamos el tren de Cerritos a la ciudad de San Luis Potosí, de donde salimos para Piedras Negras; de ahí partimos rumbo a San Antonio, donde tomamos el autobús para finalmente llegar a Chicago, lugar donde nos reuniríamos con mi padre y donde comenzaríamos una experiencia totalmente nueva y diferente. Nuestra decisión de partir se debió a la existencia de una necesidad económica que se podía satisfacer al migrar a Estados Unidos, donde había los recursos para trabajar, o sea que la demanda y la oferta estaban ahí en un balance perfecto.

La ola comenzó en los 50 en mi municipio y, como ocurre en cualquier parte, cuando se va una persona le dice al amigo, o al pariente, o al hermano: "mira, vente porque aquí está a todo dar". Y el pariente o amigo se va, y entonces el pariente o amigo le dice a su pariente o amigo: "vente, vamos"; y es como una bola de nieve que comienza a rodar, y según va rodando va creciendo, y entre más va creciendo más velocidad va tomando, y entre más velocidad va tomando más va creciendo y así sucesivamente. Y es así como surge el fenómeno que existe actualmente de que hay millones de mexicanos viviendo en Estados Unidos.

Se cree que el "sueño americano" es lo que ha creado lo que es ahora el país de Estados Unidos de América; la atracción del bienestar económico, la atracción del bienestar político, la democracia, la combinación de todo lo bonito que existe en una sociedad libre es lo que ha hecho al país de Estados Unidos, en donde vivimos, y eso aplica no solamente a nosotros como mexicanos o descendientes de mexicanos, sino también a gente de todas partes del mundo, quienes han llegado a Estados Unidos por la misma razón.

En mi caso en particular, el cambio de ambiente fue muy drástico al principio. El mayor problema que tuve fue para dominar el inglés, en la escuela tomaba clases de inglés, pero me hacía falta vivir en un entorno en puro inglés. Finalmente y a base de mucho esfuerzo logré aprenderlo a la perfección. Desafortunadamente, tuve que abandonar la escuela temporalmente cuando decidí casarme.

En ese lapso tuve varios trabajos: en un restaurante, en un cine, en una bodega, etcétera. Finalmente pude concluir mis estudios en administración de empresas, gracias a lo cual tuve acceso a mejores empleos, entre ellos uno en un importante banco y, por último, adquirí una franquicia de seguros que conservo hasta la actualidad.

En cualquier parte del mundo siempre ha existido la situación de que los recién llegados a un ambiente económico-social son los últimos y tienen que hacer los trabajos más indeseables, lo cual no importa lo suficiente para decir: "yo no hago este trabajo y me regreso a mi país"; es una situación en que prácticamente no queda otra alternativa, se tiene uno que tragar su orgullo y hacerlo. La clase de trabajo que encuentra el migrante mexicano en su mayoría es el trabajo de campo, en la agricultura, en la pizca de naranja, de fresa, de frutas y legumbres en general; en trabajos de jardinería y en restaurantes, ya sea lavando platos o en la cocina. Aunque también migra gente preparada, la gran mayoría son gente sin preparación que llena ese hueco que existe al fondo de la jerarquía de profesiones.

En los tiempos que comenzó la migración de mexicanos hacia Estados Unidos y, en particular, a la parte norte del país, no había el apoyo institucionalizado al migrante cuando llegaba; el apoyo existía, pero nada más el apoyo informal, el apoyo no estructurado. Según pasaron los años y la cantidad de migrantes fue creciendo, con el apoyo de activistas sociales y aquellos que se interesaban por el bienestar del migrante, comenzaron a formarse organizaciones más formales que se dedicaban exclusivamente a la atención del migrante. La formalización de instituciones se dio a finales de los setenta y principio de los ochenta; pero antes de eso el apoyo existía, aunque era nada más de parientes o amigos procedentes, generalmente, del mismo municipio.

La mayoría de nosotros, los migrantes, nos hemos dado cuenta de que no es fácil ajustarte a la vida de un país extraño, en donde desde el lenguaje hasta situaciones culturales y educativas son totalmente diferentes a lo que tú acostumbras; se te hace muy difícil vivir en ese ambiente y te toma mucho tiempo, casi siempre años ajustarte, y de ahí nació la idea de que... pues como se sufre mucho, muchos de nosotros nos hemos propuesto organizarnos y ofrecer un apoyo más organizado, enfocado a grupos que proceden de nuestras entidades principalmente.

El apoyo que ofrecemos es variado: apoyo como guías, apoyo económico, apoyo para conseguir trabajos o aprender inglés, viviendas y, en general, todo lo que sea necesario para poder proveer a los nuevos migrantes la oportunidad de que su transición sea más ordenada y no se les haga tan difícil.

Yo soy presidente de la Asociación de Clubes y Organizaciones Potosinas en Illinois (ACOPIL) que surge al darnos cuenta de que los clubes existentes estaban trabajando hacia la misma meta, o al menos muy parecida, y consideramos que sería más conveniente si uníamos el esfuerzo de cada club para concentrarnos en asuntos que nos identificaran, que tuvieran algo en común, y trabajar así en asuntos de beneficencia común, aparte de poder cada club mantener su propia agenda.

Hasta el momento, uno de los problemas más serios es el trato que reciben los paisanos que vienen a México en vacaciones, en la frontera, por los agentes aduanales y por los policías de caminos, etcétera, todos estamos trabajando en esa área con el fin de mejorar la vida de los migrantes. Lo que se ha visto es que una vez llegando allá, es difícil regresar y los pocos que regresan a sus terruños, al poco tiempo tienen que retornar nuevamente a Estados Unidos a continuar trabajando. Se convierte, entonces, en una situación de dependencia del sistema económico estadunidense, en donde la persona depende ya de ese trabajo en Estados Unidos, y se depende ya totalmente de poder vivir y trabajar allá, y resulta que la persona viene a su tierra periódicamente, tradicionalmente en Navidad o en Año Nuevo; vienen llenos de regalos y con dinero para gastar, para irse a divertir, quizás invertir.

Finalmente, a partir de finales de los ochenta, principios de los noventa, ha sido muy notable el hecho de que la nueva ola de migrantes ya son gente más preparada, muchos profesionistas principalmente; mucho más mujeres, adultos, mucho más jóvenes, ahora ya vemos hasta niños que han migrado también por la necesidad económica, por el sentido de la aventura quizás. Pero el caso es que la cara del migrante ha cambiado radicalmente desde esa época.

...PERO DEFINITIVAMENTE YO NO REGRESO[1]

Sebastián Pérez García

Uno siempre expresa los sentimientos más profundos cuando éstos bailan y danzan en el alma. Dicen que recordar es vivir, y el recuerdo de Carlos Sánchez Póstigo acoge un periodo de su vivencia que lo marcó y definió profundamente.

Recordar momentos que parecen indescriptibles provoca la creación de un cuadro repleto de colores, anécdotas y olores, materializando los sentimientos que juegan con el tiempo y el recuerdo. La historia de Carlos o, más bien dicho, Charly, como se le conoce por los paisas en Chicago, es, sin duda, el reflejo de la realidad que se vive hoy día en las zonas rurales del territorio mexicano: entusiasmo por el *american dream*, reforzado por la falta de oportunidad y crecimiento en los lugares de origen.

Carlos es originario de un pueblo donde el fenómeno de la migración es una constante en la dinámica de su sociedad, Cerritos, en San Luis Potosí. Hijo mayor de una reducida familia: únicamente él, de 23, y su hermana, de 20 años de edad. Creció junto con sus primos, todos varones y de mayor edad. Desde niño le ayudó a su viejo en la tienda La Guadalupana, dedicada básicamente a los abarrotes. Influido por sus primos, que le aconsejaban "irse pa'l otro lado", decidió finalmente emigrar.

Consciente de que irse a Estados Unidos era un privilegio, rápidamente tomó la oportunidad que le llegó a los 17 años de edad y emprendió el viaje. Sus cuatro primos mayores ya establecidos en Chicago lo invitaron a ganarse sus centavitos mediante su pura fuerza de trabajo. Le facilitaron todo lo relativo a la documentación para poder cruzar y, después, le consiguieron el jale; le hablaban por teléfono para

[1] Entrevista realizada el 2 de diciembre de 2000 y el 27 de abril de 2001 en Cerritos, San Luis Potosí.

decirle que "había buena chamba allá" y que ganaría buen dinero. "Al principio le daba vueltas al asunto de irme a trabajar, ya que estaba muy bien en México, tenía mi familia, amigos y conocidos, y más que nada vivía tranquilo."

* * *

Veía como que bien lejano el día en que finalmente me iría, pero una vez que vino mi primo el mayor, de 35 años, a ver a mi abuela, decidí que me convendría irme de una vez; me llevó a la capital a conseguirme el pasaporte, y como ellos ya tenían papeles derechos de ser gringos, fue bien fácil la pasada. Nos fuimos directos de Cerritos a Chicago; como unas veintitantas horas de viaje, pero como yo ya estaba acostumbrado a recorridos largos, así que no fue problema para mí. Iniciaba una experiencia nueva, nunca había salido de México y ésta era la primera vez. Cuando llegamos al puente me acuerdo perfectamente del momento en que mi primo me dio unos papeles de Marco, otro primo mío que me lleva tres años, me dijo que presentara esos papeles cuando me los pidieran y que dijera que yo era Marco, es decir, estábamos haciendo trampa, y yo nunca había hecho algo así. Afortunadamente no hubo problema alguno, ya que Marco y yo tenemos rasgos y facciones muy similares, hasta en el pueblo me decían, de broma, que si mi papá no era mi tío.

Una vez cruzado el puente, me despedía de la gran bandera mexicana que se encuentra ahí, y daba inicio a todos los sueños que representaba para mí realizar el viaje. Cuando llegué a Chicago me costó mucho trabajo relacionarme con la gente del otro lado, ya que lo único que sabía decir eran unas cuantas palabras en inglés, pero no me desesperé; por lo mismo que hay muchísima gente de México, todo mundo habla el español. Con el paso del tiempo fui aprendiendo palabras hasta que por fin entendí todo, me ayudó mucho para mejorar mi lenguaje la televisión y la radio, así como la música que se oye en las calles.

Me acuerdo perfectamente de mi primer jale, fue en el restaurante de un amigo de mi primo, el Arriba Arriba, después mi primo se lo compró. Le echaba la mano con los trastes y en la cocina; la paga era buena, pero lo mejor era que como vivía con mis primos y no gastaba nada de dinero, todo lo que recibía lo guardaba; 300 verdes a la semana era lo que me metía, menos más, como unas ocho horas eran las que jalaba, y obviamente el lunes era mi día libre.

Mis primos habían comprado dos casas juntas para que viviéramos todos unidos y al mismo tiempo nos cuidáramos todos. Tres de mis cuatro primos ya estaban casados y hasta tenían familia, así que Marco y yo decidimos rentar un departamento más pequeño y cerca del Arriba Arriba, para que no les estorbáramos. La renta era leve y teníamos todo el espacio únicamente para nosotros dos, gastábamos bien poco porque comíamos en el restaurante y no éramos muy vagos.

Cuando cumplí 20 años ya tenía una buena lana, y que se me ocurre hacerme *partner* de mi primo. Le propuse convertir el Arriba Arriba en restaurant bar; yo me daba color de que cada vez cerrábamos más tarde y que la rocola era un éxito y la venta de bielas era muy buena y fue así que le planteé que yo pondría el varo para construir una barra chidita y meterle sonido al resta. La propuesta le latió, y que me aviento a meterle lana al Arriba Arriba; luego luego a la gente le pareció más que nada el concepto, y todos los paisas se clavaban al final de su jale al bar. El dinero que estaba haciendo me permitía darme una vida muy cómoda y con lujos, de inmediato compré mi cabrita[2] y terminamos comprando el depa al gringo que nos lo rentaba.

Marco se agarró una gabacha y se fue a vivir con ella; estaba esperando su chica un chavito y no le quedó de otra que irse con ella. Mi primo el mayor, con el que me había asociado y que me llevó para el otro lado, se encontraba en la dirigencia de la comunidad mexicana en Chicago, es decir, formaba parte de la planilla que se encargaba de representar a los mexicanos en Chicago, también era él el que organizaba los bailes y las fiestas, así que cuando teníamos problemas con lo de la venta del alcohol en el bar, de inmediato se arreglaba todo.

La banda mexicana que vive en Chicago es la que mueve el pandero en esos rumbos. Los pocos asiáticos y nativos de allá nos tienen un buen de respeto, saben que somos una comunidad muy unida y a la vez tranquila. La convivencia con las otras razas no es fácil, a veces se enojan por cuestiones que ni yo comprendo. Trato de relacionarme lo menos posible, puesto que mi experiencia personal ha sido desagradable; yo entusiasta por convivir con los demás, salir a la fiesta, eventos, bailes, etcétera, y ellos bien apagados, como que es uno el que carga en los hombros y nomás ellos no ponen nada.

[2] Carlos le llama cabrita a su camioneta Ford.

Al principio de mi llegada me invitaron a participar en una pandilla. Todo Chicago está lleno de pandillas donde la prioridad es tomar, meterse ácidos, fumar y estar buscando situaciones para pelear con la gente. Mis primos ya estaban enterados de ese rollo, y me prohibieron salir con esa gente, fueron muy claros conmigo y me dijeron: "el motivo de tu venida es exclusivamente de jale y no quiero ni un problema". Tú sabes que cuando llegas a una casa ajena no hay de dos quesos, o acatas las reglas o te sales y, así como dicen: "el muerto y el arrimado a los tres días apestan", pues no me quedaba de otra. Llegué a estar tentado por unirme a una pandilla cuando recién me había mudado a mi departamento, pero el asesinato bestial que le dieron a mi amigo Hugo[3] me hizo reflexionar y cambiar mi decisión. Doy gracias a la Morena[4] que no me dejó unirme a esa atmósfera, ya que sabía que saldría mal librado.

Mi vida tomó un giro bien grande cuando mi primo Marco se fue con su chava; ciertamente el jale iba muy bien, y en cuestiones de dineros no había problema, hasta mis viejos les tocaba, una vez al mes les mandaba algo para que la gozaran así como yo lo estaba haciendo. Pero empecé a sentirme bien solo, tenía todo el departamento para mí, y la monotonía empezaba a cansarme, los recuerdos de mis conocidos en México me decían que era hora de regresarme. Las amistades que tengo en Chicago me decían que estaba pasando por el periodo del "encuentro con uno mismo", que era la etapa definitoria y crítica a la vez de todo emigrante; al concluir el tiempo de tres años es donde ocurre este momento; es un espacio de reflexión y un alto necesario para pensar en un proyecto de vida. Normalmente, a todos los migrantes nos pasa algo parecido, anhelamos los recuerdos de nuestra tierra, de nuestra casa, los amigos, costumbres, pueblo y hasta la gente. Ciertamente, el objetivo de nuestra aventura ya está realizado, ya superamos los problemas económicos y mejoramos nuestra calidad de vida, pero carecemos de lo esencial, y es ahí donde se produce la reflexión, donde se pone en una balanza lo que uno obtiene y lo que uno está sacrificando.

Era consciente del éxito del Arriba Arriba y de un posible crecimiento en cuestión de negocios, al mismo tiempo mi alma me pedía un descanso y el amor que se recoge en casa. Básicamente fue esa necesidad

[3] Hugo fue el primer amigo de Carlos en Chicago, asesinado por un grupo de negros en una pelea callejera.

[4] La familia de Carlos es devota de la Virgen de Guadalupe.

de crecer junto con mis padres lo que me inclinó a regresar a Cerritos; también no cerré las puertas de lo que había construido en Chicago y que tanto me costó

Mi primo Francisco, el mayor, me aconsejó que sería buena idea tomar un receso, el cual me daría nuevas energías y me serviría para madurar mi persona. Fue el momento final de optar por mi regreso.

Hoy día he cumplido uno de mis propósitos... he ayudado a mis viejos. Y aquí de regreso, festejando el 20 de noviembre, el día de la Virgencita y el día de la Santa Cruz. Sé que tengo la oportunidad de regresar y que sería más fácil el inicio, y que se podría dentro de poco, pero definitivamente yo no regreso.

De dueño a trabajador...

Francisco Sánchez de Alba

Una vez que el gobierno mexicano decidió dar un giro fundamental en su relación con Estados Unidos a través de la política de acercamiento y la firma del TLC, los cambios que habían ocurrido en la población emigrada se hicieron evidentes a los ojos de algunos funcionarios del gobierno de Salinas (1988-1994). El proyecto del libre mercado global, impulsado por las tendencias de la economía mundial y por la élite gobernante, opuesto a la línea tradicional del régimen posrevolucionario, reestructuró la economía nacional y ocasionó más miseria en un porcentaje cada vez mayor de la población. Por lo mismo aumentó la desproporción entre equidad y desarrollo, lo cual provocó el regreso a niveles similares a los que existieron antes de la industrialización.

Una de las maneras de escapar de esta situación fue el aumento sin precedentes de la migración a Estados Unidos. El tamaño de esta migración asentada allá, estimada en más de ocho millones de personas en los últimos veinte años, ha provocado cambios en ambas sociedades, y uno de estos cambios ha sido en la forma de percibir a estos migrantes.

Carlos Fernández,[1] originario de la capital del estado de San Luis Potosí, es el protagonista de este relato. Estudiante graduado de secundaria del Colegio Motolinía, decidió dejar de estudiar a la edad de 17 años para utilizar sus conocimientos en mecánica y establecer un pequeño taller.

Carlos pertenece a la clase media, por lo que para él obtener dinero nunca fue problema, así que para echar a andar su taller se le hizo fácil pedir prestado, pero no acudió a un banco o a su familia, sino a los llamados agiotistas. Como todos sabemos, los intereses a estos préstamos son exorbitantes y difíciles de pagar, ya que son mucho más altos

[1] La entrevista a Carlos fue realizada el 13 de noviembre de 2000, en la ciudad de San Luis Potosí.

que en otro lado, pero como tienen menos requisitos, Carlos optó por lo fácil, ya que nunca pensó que podía tener problemas, pero los intereses se lo fueron comiendo, y en consecuencia su taller pasó a manos del agiotista, y todavía debía mucho a esa persona.

Hablemos un poco de su familia, Carlos es el tercer hijo de una familia de cuatro, su hermano mayor es un profesionista graduado en ingeniería en la Universidad Autónoma de San Luis Potosí (UASLP), con tres hijos y una manera de vivir desahogada. Su hermana mayor, graduada asimismo de la UASLP y con una maestría en Japón, también está casada y vive bien. Su hermana menor, graduada también de la UASLP en psicología, acababa de comenzar su maestría y obtenía buenos ingresos. Por lo que a ninguno de ellos le hubiera sido gravoso ayudar a su hermano a salir del problema. Dice Carlos que nunca solicitó la ayuda de sus hermanos por miedo a ser juzgado un fracasado, ya que siempre fue el hijo consentido y mimado de su familia; aunque sabía perfectamente que sí lo hubieran ayudado.

Una vez endeudado, sus problemas fueron creciendo; no podía pagar la renta, comenzó a tener problemas con su esposa y a recibir amenazas del prestamista. Su orgullo era tan grande que le impedía pedir ayuda a sus familiares; la única opción viable que pensó fue partir a Estados Unidos con su esposa.

En un principio la decisión de partir a Estados Unidos fue muy difícil: "no sabía más que el inglés que aprendí en la escuela y la verdad nunca fui muy buen estudiante, y toda mi vida fui muy apegado a mi madre, que aunque a mi esposa no le parecía mucho esta idea, a la larga creo que afectó mi matrimonio".

* * *

Yo partí al norte con papeles, tenía mi pasaporte y no tuve problemas para obtener mi visa, así fue como me fui hasta Chicago, que era donde había oído que la gente de San Luis Potosí obtenía trabajo, que al ver la gente que eras su paisano te echaban la mano. ¡Qué equivocado estaba! No conocía a nadie, o sea, la verdad me fui a la mala, a ver qué encontraba.

En un principio, yo tenía la idea de que conseguir trabajo era fácil, pues es lo que se dice en México, así que cuando comencé a buscar trabajo aspiraba a obtener un empleo casi, casi de jefe, ¡otra de mis equivocaciones! Mi esposa fue la primera en encontrar trabajo como lavaplatos, *dishwasher*, ganaba cuatro dólares la hora y trabajaba ocho horas diarias, de lunes a sábado; ella era quien me mantenía, rentábamos un cuartucho en una colonia de gente de color, has de cuenta las que se ven en la televisión, balazos y ambulancias en la noche, gritos, etcétera… en verdad, no se lo deseo a nadie.

Pasé dos meses sin conseguir trabajo; la verdad, mi orgullo me estorbaba y me ocasionaba muchos problemas en la casa, si es que se le podía llamar casa a ese p… cuarto; pero al fin obtuve mi primer trabajo, ayudante de mecánico, ¡de ser dueño de un taller, ahora trabajo en uno por un salario más bajo que el mínimo y con un trato degradante!

Observemos ahora cómo se encontraba su familia en el estado de San Luis Potosí: su padre falleció seis meses después de la partida de Carlos; su hermana menor se había ido a vivir a Guadalajara para terminar su maestría, y su hermana mayor se fue a vivir a La Paz, Baja California Sur. Así que su madre tenía como única compañía al mayor de la familia.

Las deudas que Carlos había contraído pasaron a manos de su madre, ya que ésta había depositado su confianza en él y aceptó ser su aval; así, cuando la madre se dio cuenta de este problema se tuvieron que tomar medidas drásticas.

Cuando yo acepté ser aval de mi hijo –contó la madre de Carlos– fue gracias a que el negocio que me planteó se veía redituable y con grandes ganancias en poco tiempo. Yo siempre le dije a Carlos que era mucho mejor pedir el préstamo al banco, pero como no tenía ninguna propiedad ni nada que ofrecer, el banco no realizaría el préstamo, o al menos eso era lo que él decía. Fue así que tomó la decisión de aceptar el dinero de esta persona [el agiotista] no importándole los altos intereses.[2]

Tuve que vender la mitad de mi casa para solventar el pago de los intereses y un pedazo del préstamo, mis hijas también cooperaron para finiquitar el pago y mi hijo mayor, aun teniendo pequeños problemas económicos, también cooperó. Ya pagado el préstamo, mi hijo no regresó, no sé si por pena o por otra cosa. De lo que me enteré después es

[2] La entrevista a la madre de Carlos fue realizada el 14 de noviembre de 2000 en la ciudad de San Luis Potosí.

que había una orden de aprehensión en su contra por otros préstamos contraídos y no liquidados, así que para él su regreso sería muy difícil.

Mientras tanto, Carlos había perdido su empleo de ayudante de mecánico; entonces se empleó como chalán (ayudante de maestro albañil). Ganaba seis dólares la hora, pero en un trabajo que consideraba inferior a su educación; sólo le consolaba el poco dinero que ganaba y que ya no tenía que ser mantenido por su esposa, lo que evitaba problemas matrimoniales, pero él pensaba que su forma de vida era miserable.

Después de mi trabajo de ayudante de mecánico, en el que yo sabía más que mi jefe, pasé a trabajar en la construcción; el problema que tuve con el mecánico fue comenzado, creo yo, por mi parte, ya que en muchas de las composturas que realizábamos lo corregía, algunas veces enfrente de los dueños de los carros, cosa que, según mi ex jefe, repercutió en sus ingresos, ya que los clientes empezaron a desconfiar de su taller llevándose sus carros a otro lado.

Ya en la obra, fue difícil acoplarme a mi trabajo, ya que nunca había hecho nada de ese tipo; que hacer la mezcla, resanar, colar, poner un castillo, etcétera... Gracias a Dios los otros chalanes me ayudaron rápidamente a acoplarme al trabajo, me enseñaron el trabajo y no tuve problemas aproximadamente en seis meses; pasado este tiempo, la obra llegó a su fin, así que me volví a encontrar desempleado.

Yo sabía los problemas que había causado a mi familia en San Luis Potosí, pero también tenía muchos problemas de este lado. Quería mandar dinero a mi madre para que recuperara su casa, a mis hermanas y mi hermano para que no tuvieran resentimientos contra mí, pero las presiones aquí eran, en mi opinión, mayores. Al no tener trabajo volvieron a comenzar los problemas con mi esposa, que todavía trabajaba de lavaplatos, pero con un aumento de dos dólares la hora. Me tardé aproximadamente cuatro o cinco meses en volver a trabajar, un periodo de tiempo en el que, en mi opinión, fue el peor de mi vida; mi esposa me dejó y comencé a volverme alcohólico, la verdad no sé de dónde sacaba dinero para emborracharme, pero, como dicen en México, para el vicio siempre encontrarás un amigo. Yo creo que muchas veces acabé tirado en la calle, siempre pensando en la vida que había llevado en México antes de endeudarme y extrañando mucho a mi esposa y mi familia. Hasta este momento no sé en dónde o a dónde se fue mi esposa, lo que sí sé es que no regresó a México; pero en este momento ya no me importa, aunque sí me duele cuando me acuerdo de lo sucedido.

El problema del alcoholismo lo superé después de un tiempo, mi madre me ayudó a terminar con él. Sí, mi madre vino a visitarme aproximadamente cinco años después de que yo había partido, por eso antes de que ella viniera, para no darle otro disgusto, comencé a dejar el vino.

Carlos, al perder a su esposa y volverse alcohólico, empezó a extrañar mucho su antigua vida, lo que fue aliviado por algunos amigos que tenía en Chicago, que lo ayudaron a dejar el alcohol y a conseguir otro trabajo, esa vez de lavacoches, donde tuvo un jefe, según Carlos, muy noble y sencillo, que a la larga lo ayudó mucho.

Pero antes, cuando comenzó a dejar de beber, como cualquier persona que lucha contra un vicio, sufrió mucho, y lo único que lo motivaba era la cercana visita de su madre, a quien no quería inspirar lástima. Aunque no venció el alcoholismo drásticamente, pues tuvo recaídas, en casi un año se convirtió en un nuevo individuo.

Cuando traté de dejar el alcohol, me di cuenta de que había logrado hacer muy buenos amigos en Estados Unidos, personas que habían pasado cosas mucho más graves que yo: pérdidas de toda su familia a manos de drogadictos, hijos en problemas de drogas, deportados, ex convictos, etcétera... personas que tienen un gran corazón y que me tendieron la mano.

Tiempo después de que dejé el alcohol, decidí buscar nuevos rumbos, o sea otro trabajo, así que hablé con mi jefe y fue él quien me ofreció otra chamba; trabajaría en algo así como plomero, chalán, etcétera... Sería equipando casas, poniendo el fregadero, la estufa, el mosaico, el papel tapiz, arreglar problemas eléctricos, de agua, etcétera... Hasta este momento, nunca había recibido 10 dólares la hora, salario que recibiría por desempeñar este trabajo, así que lo acepté.

Cuando llegó mi madre a Chicago, yo había cambiado mucho: del joven que había salido de México sólo quedaba la imagen; bueno, si se puede decir eso, porque perdí mucho pelo, mi forma de ser también cambió mucho, ya no era tan enojón ni tan exigente. Todo esto le pareció muy extraño a mi madre, la verdad se me hace que no le gustó nada. Volvamos con mi madre. A su llegada, ella trató de cambiar mi forma de ser, ya que de su hijo consentido y dependiente quedaba un hombre independiente y formado conforme a los golpes que la vida le había dado. Ella quería que buscara un mejor trabajo, porque no consideraba lo que hacía digno de mí. Todavía ahora no entiende lo difícil que es conseguir trabajo fijo de este lado, un jefe comprensivo y una paga de 10 dólares la hora, que a la larga fue aumentada a 15. Total, al partir mi madre, una semana después de su llegada, me hizo prometer que regresaría a México para las fiestas navideñas, así que ese fue mi primer regreso a México.

Yo no podía regresar a San Luis Potosí o, más bien, no quería hacerlo. Así que mi regreso fue a Los Cabos, Baja California Sur, al hogar de mi hermana para pasar Navidad y Año Nuevo; al único que no vi fue a mi hermano mayor, y la verdad lo comprendo, porque pagar el viaje de cinco personas a Los Cabos, el hotel y las comidas no es muy barato que digamos, pero aun así, tiempo después, lo volví a ver.

El permiso que había obtenido de mi jefe para ausentarme sólo fue de 10 días, así que acabando las fiestas me tuve que regresar para Chicago; lo único que hice fue renovar mi visa, cosa para la cual no tuve ningún problema, y partí a Estados Unidos. Mi regreso fue difícil, ya que extrañaba mucho a la familia, yo creo que si no hubiera pasado Navidad y fiestas familiares con ellos, hubiera sido diferente mi vuelta.

En Chicago ya tenía todo hecho, tenía una casa propia, en la que vivía yo solo, teléfono, carro, mi círculo de amigos, un trabajo seguro y, la verdad, vivía bien, se podría decir que llegué a vivir como en México antes de que se me vinieran encima los problemas.

Carlos, por ser una persona muy unida a su familia, sufrió mucho al verla por poco tiempo; no fue como él pensaba, nadie lo culpó por sus problemas ni lo rechazó. Al contrario, toda su familia estaba mucho más cariñosa con él, pero Carlos ya tenía su vida hecha en Estados Unidos, por lo que quería regresar; afectivamente, retornó a su vida normal.

VIVIENDO EL *AMERICAN DREAM*[1]

Víctor Manuel Torres Guerra

En su puesto de tortas, en la colonia las Lomas, en San Luis Potosí, mi primo Ricardo Torres Butanda accedió a platicarme su historia. Entre una mezcla de sonidos, la música, el hervir del aceite y la gente que ocasionalmente pasaba a pedir una torta de lomo o de cochinita, llevamos una larga conversación sobre su experiencia como migrante y trabajador indocumentado en Estados Unidos.

Su historia empezó en el Distrito Federal. Durante los primeros 18 años de su vida, Ricardo había estado en una situación privilegiada; su papá tenía un buen puesto en Condumex, por lo que vivían con cierta holgura. Su familia vivía en Satélite, y el círculo social al que pertenecían, tanto familiar como individualmente, gozaba de una situación económica holgada, o como él lo explicó, era "gente bien".

En 1995, cuando Ricardo terminó la preparatoria pretendía estudiar leyes en la Universidad Iberoamericana, y argumentaba que "si mi hermana pudo estudiar en el Tecnológico de Monterrey, en el Distrito Federal, ¿yo por qué no habría de estudiar en la Ibero?". Pronto cayó en la cuenta de que sus padres no iban a poder solventar los gastos que esta escuela implicaba dada la difícil situación que se vivía en México y la crisis por la que pasaba la familia. Aun así tramitó su admisión, y en el examen obtuvo el segundo lugar, lo único que le hacía falta era dinero.

Dado que no podría ingresar a la Universidad Iberoamericana, decidió hacer lo que la mayoría de sus amigos pensaban hacer, pero con ciertos cambios. Los amigos, todos hijos de familia con mucho dinero, habían tomado un año sabático para viajar a Europa o a Estados Unidos. La diferencia en el plan, en palabras de Ricardo, fue que "ellos

[1] Entrevistas realizada los días 15 y 20 de octubre de 2000, en el local de Las Tortas Gigantes de las Lomas, en la esquina de Cordillera Arakán y Cordillera de las Himalayas, Lomas Cuarta Sección, San Luis Potosí, S.L.P.

iban a turistear; a mí se me ocurrió el viaje a Estados Unidos como un oasis al que podría escapar de las broncas de mi casa, ir a trabajar para juntar mi lanita y regresarme a estudiar lo que quisiera en la escuela donde me diera la gana".

El círculo social al que pertenecía era muy absorbente y las presiones de sus amigos iban creciendo cada vez más; "me decían: '¿vamos a cenar?' Y me avergonzaba porque no traía ni un cinco en la bolsa. Además, mi novia no estaba acostumbrada a la austeridad en la que me encontraba. En fin, Estados Unidos era para nosotros [refiriéndose a él y a su hermano Paco] una manera de escapar a las tensiones que nos provocaban los amigos".

* * *

¿Por qué me fui? Creo que lo que me obligó a irme fueron todas las broncas que teníamos. Por un lado, la lana; bien dicen que el dinero sale por la puerta y el amor por la ventana, y eso fue lo que se estaba dando en mi casa. Las broncas de mis papás nos traían hartos a todos. Por otro lado, estaban las presiones sociales; que si la cenita en tal restaurante, o la ida al cine con la novia, que si nos vamos al antro en la noche. Todos los gastos que ya no podíamos solventar. Todo eso nos empujó a irnos.

¿Por qué Estados Unidos? Fácil, allá tenía parientes por parte de mi mamá. Teníamos pasaportes de turista, pero se nos hizo fácil agarrar una chamba ya estando por allá. Además, platiqué con mi primo y me dijo que nos podíamos quedar con él el tiempo que fuera necesario y que nos podía conseguir trabajo en la obra, como albañil. La idea era irnos a Matamoros, donde vive mi abuela, y de ahí pasarnos a Dallas con mis primos.

Para sacar la lana para el viaje hicimos una colecta con los familiares que vivían en México, algunos trabajitos, y juntamos nuestro dinero para irnos a Matamoros. De Matamoros no nos costó mucho trabajo pasar a Brownsville, pues teníamos visas de turista. Desde Brownsville, mis parientes nos llevaron a Harlingen, de donde tomamos nuestro vuelo a Dallas. Y ya sabes: "¿a qué van a Dallas?", nos preguntó el oficial de migración, y nosotros le dijimos que íbamos a visitar a nuestros familiares que vivían allá. Total que nos dieron nuestros permisos por seis meses para andar por esos rumbos y nos fuimos.

Nos quedamos en Dallas unos meses. Yo iba con la idea de que era alguien especial, y que el hecho de que hablaba un buen inglés me iba a hacer más solicitado, o de mejor categoría que los inmigrantes comunes; aparte había terminado la preparatoria. ¿Qué más podían pedir los gringos? Un chavo responsable, presentable y educado, segurito me daban una súper chamba.

Nos recibieron mis primos y rápidamente nos acomodaron en el departamento del único que no se había casado. El depa estaba en una zona bastante jodida de Dallas, era de una sola recámara, y llegamos a vivir ahí hasta seis cabrones. Claro, tenía aire acondicionado, y estaba todo alfombrado... con eso nos bastó.

En Dallas recibí lo que algunos llamarían un tierno golpe de realidad. Paco y yo llegamos con la idea de pasearnos un poco y, al mismo tiempo, buscar chamba. Eso de la construcción no era para nosotros; creímos que, hasta cierto punto, teníamos que estar calificados para trabajar en alguna otra cosa, y en realidad lo que buscábamos era trabajar en algún restaurante, ya fuera de meseros o de barman; además, yo creí que hablábamos poca madre el inglés, y que con eso nos iban a alivianar en cualquier trabajo que nos pusieran. Con lo que no contábamos es que esos puestos aún pertenecen al mercado de trabajo estadounidense, y que en realidad en el área de restaurantes los únicos puestos para inmigrantes latinos eran los de lavaplatos, garroteros y en el aseo en general. El hecho de que habláramos inglés no nos sirvió de gran cosa, pues teníamos el acento y la finta de mexicanotes. Generalmente, cuando llegas a un restaurante buscando empleo, aunque hables bien inglés, si escuchan un acento, o te ven muy mexicano, sólo te ofrecen los puestos más bajos, y nada de los que a mí me interesaban. Y eso pasa mucho en Estados Unidos, los gringos son muy clasistas y racistas, si te ven con el pelo largo y medio morenito, ya no tienes muchas oportunidades, y si te escuchan hablar con acento, ya no tienen interés en ti. Lo peor es que ya te tienen catalogado para un cierto tipo de trabajo. En un restaurante, los mexicanos, a la cocina; los italianos, al mostrador; los blancos, de meseros o barman; los negros, a recoger las mesas, y así.

Antes de salir de México pensaba que los estadounidenses me iban a dar un trato especial, que mi grado de educación y el hecho de que hablara inglés me iba a poner en ventaja con respecto de aquellos pobres e ignorantes que siempre se van de mojados a trabajar al otro lado.

Claro, a la hora de ir a solicitar la chamba, me di cuenta de que para ellos yo no era más que sólo un indocumentado más. Me empecé a sentir como mojado, de los que uno se entera que hay y de los que veía por allá en Estados Unidos cuando íbamos de vacaciones, y hasta cierto punto yo tenía toda la culpa, como que no me había caído el veinte de las condiciones en las que iba. Has de cuenta que me lanzaba al *mall* a buscar chamba en alguna tienda y me metía, primero checaba la ropa, me probaba algún modelito que me gustara y después, cuando la persona que estuviera atendiendo me preguntaba que qué quería, le decía que iba a buscar trabajo.

Lo malo de todo esto es que me trataron como si yo fuera un granjero o un indio que venía de algún rancho porque no tenía qué comer, y yo no me sentía así. No tiene nada de malo ser pobre, pero yo había vivido una vida acomodada, y estas gentes me trataron como si fuera yo un jodido ignorante. La bronca es que, en realidad, ante los ojos de los gringos no hay distinción: si eres mexicano, eres un pobre diablo analfabeto; cuando yo llegué allá, no me trataron con alguna diferencia, me trataron como un güey más; la única diferencia real entre los demás migrantes y nosotros era que nosotros no teníamos la actitud de la gente jodida: yo no me sentía menos y ellos sí. Eso después nos trajo muchas oportunidades.

A la semana de haber llegado, el fin de semana, mi primo nos habló a mí y a Paco para llevarnos a conseguir papeles chuecos; nosotros pensamos que eso era lo que les había hecho falta toda esa semana. ¡Claro! Ya con papeles en mano, las cosas tendrían que cambiar, así que nos lanzamos al barrio mexicano de Dallas, donde fuimos a conseguir nuestros papeles. Llegamos a un súper mexicano, has de cuenta un HEB, pero donde venden puras cosas mexicanas y, claro, en condiciones muy inferiores a los súpers gringos. Mi primo se bajó del coche y, has de cuenta que como de película, se lanzó a hablar con los tipos más sospechosos que pudo ver, siempre cuidándose la espalda, por si acaso; en eso, regresó muy tranquilo, y nos dio las siguientes indicaciones: "Se van a ir a la casa verde que queda como a tres cuadras de aquí; tocan, preguntan por Juan, le dicen que van de parte de Chucho, y le entregan cincuenta dólares cada uno. Él les va a tomar una foto y después regresan en unas dos horas para recoger sus papeles". Y dicho y hecho; seguimos las instrucciones de mi primo y al cabo de dos horas ya teníamos nuestros papeles chuecos. La tarjeta que nos dieron era una *Resident alien card*, se veía bien de lejitos, pero nomás le echabas un ojo con más detenimiento y se veía bien falso; nada qué ver con los papeles originales que están hechos a computadora, éstos se veían claramente fabricados a mano. Aparte nos entregaron nuestro *Social security number*, y ya con eso andábamos armados para conseguir una buena chamba.

A la semana siguiente, mi primo nos platicó que andaban contratando gente en una construcción nueva; entonces, nos prestó herramienta, porque se ve mejor si llegas con herramienta propia, y nos mandó para ver si conseguíamos algo. Llegamos y encontramos a muchas personas formadas para la entrevista. En sí, la entrevista no tuvo chiste, y al lunes siguiente empezamos a trabajar; entramos a las seis de la mañana y nos asignaron a los puestos de más abajo. Como quiera que sea, ganábamos seis dólares la hora las primeras ocho horas, y las horas extras te pagaban a nueve, que está de poca madre comparado con los salarios acá. Entonces el plan era trabajar unas diez horas y ganar más o menos unos 70 dólares diarios. Ahí fue cuando nos dimos cuenta qué es el trabajo. ¡Qué chinga nos pararon! Ahí supe que yo había vivido en otro mundo. Ese trabajo sí era para hombres; yo era un mocoso de 18 años que no tenía idea de la friega que es trabajar en una construcción. Aparte de la chinga física, estábamos en julio; entonces, ya para las nueve de la mañana ya no aguantaba el sol; pinche calorón de los mil demonios. Me ampollé los dedos, los pies, todo quemado. Bueno, para no hacerla demasiado larga, eran las diez y yo ya estaba muerto, y todavía me faltaba la mitad de la jornada. Cuando llegué al remolque donde me iba a echar mi *lunch*, ya no podía dar paso. Para cuando regresé del descanso, más me tardé en llegar a mi lugar, que se me empezó a nublar la vista y sentirme mareado; nomás de repente, blip, se me oscureció el mundo y ya no pude continuar. Me llevó otro chavo a una tienda donde te pega una brisa de agua fresca y no te da el sol, y me mandaron a mi casa.

En la noche, mis primos y mi hermano se burlaron de mí todo lo que quisieron; "pinche nena", me decían; pero la verdad, a mí me valió. Ya para el día siguiente no contaron con mi presencia en la chamba, con un día tuve. Que si soy un joto o esto o lo que sea, me vale, a mí ya no me llevaban a ese trabajo ni con triple salario. Ésa fue mi primera experiencia como trabajador mojado. La chinga fue tan grande que los mandé al carajo, y hasta llegué a pensar que mejor me regresaba a mi casa.

Por otra parte, me empecé a sentir incómodo en las condiciones en las que había estado viviendo en Dallas. Al principio, lo único que me importaba era el hecho de haber llegado a Estados Unidos y de tener la oportunidad de trabajar, pero después de esa primer experiencia, ya no quise saber nada de eso, y estuve considerando hablar a México y ver quién me quería ayudar a regresarme.

La semana siguiente nos fue a visitar otro primo, Luis Miguel, que vivía en Chicago; has de cuenta que él nos patrocinó las vacaciones. Se quedó en el Holliday Inn y mejor nos fuimos a dormir con él, mucho más cómodo que en el departamento donde nos habíamos estado quedando. Le platicamos a Luis Miguel la situación en la que estábamos, y él nos invitó a Chicago; allá él trabajaba de mesero y, según él, nos podía conseguir trabajo en algo menos pesado que la construcción. A lo mejor no de mesero, pero quizá podría conseguirnos trabajo de *busboys*, que vendría a ser como ayudantes de meseros o garroteros. Entonces, Luis Miguel regresó a Chicago y, más o menos una semana después, nos mandó dinero para irnos. Al principio me sentí un poco ingrato con mis primos de Dallas, más que otra cosa porque había vivido de gorra con ellos y ellos me habían ayudado la última semana, cuando ya no tenía dinero. Paco, por su parte, había estado contribuyendo con el gasto de la casa, pero yo me sentía mal por lo que estaba pasando. En fin, platiqué con Gustavo, el primo con quien nos quedamos, pero él no nos recriminó nada. Al contrario, con mucho gusto nos ofreció su casa para cuando quisiéramos caerle.

En fin, nos fuimos a Chicago en un Grey Hound, que es como viajar en un Estrella Amarilla mexicano, pero más feo; el viaje fue de 27 horas y estuvo muy pesado, pero era para ir a un lugar diferente. En esos momentos se me renovaron las esperanzas de que Estados Unidos sí era la tierra de la oportunidad y no el infierno que había resultado ser Dallas. A lo largo del viaje conocimos por la ventana del camión los estados de Arkansas, Oregon, Oklahoma. Hasta nos tocó andar turisteando en Memphis, pues traía como seis horas de retraso el camión al que íbamos a transbordar. Durante el viaje nos fuimos haciendo a la idea de que en Estados Unidos las cosas eran más difíciles de lo que pensábamos, pero al mismo tiempo pensamos que Luis Miguel iba a solucionarnos un poco la existencia.

Luis Miguel había estado trabajando de mesero por algún tiempo, y aunque nos dijo que no era fácil llegar a ser mesero, una vez ahí, te empieza a ir bien. Tan bien, de hecho, que Luis Miguel nos pagó el viaje a Chicago, y además tenía coche nuevo, de agencia. Las cosas empezaban a pintar mejor. Por otro lado, Luis Miguel nos estaba ayudando por dos cosas. Él era un hombre solo, y en una sociedad como la estadounidense la soledad se siente muy fuerte; entonces, la ayuda resultaría mutua: nosotros le haríamos compañía a Luis Miguel, y él por su parte nos iba a conseguir un trabajo, y por lo pronto nos iba a mantener.

Desde que íbamos llegando a Chicago la vida nos empezó a sonreír. ¿Por qué? Porque, para empezar, Luis Miguel pasó por nosotros en un coche nuevo. Además, llegando a Chicago ya es otro mundo; nada que ver con las ciudades del sur, que se parecen más a las ciudades mexicanas. Chicago era la primer ciudad que conocí del norte de Estados Unidos, y era algo que, fuera de las películas, jamás habría creído; todo, desde que íbamos entrando a la ciudad, fue poca madre, como yo siempre lo soñé. Además de esto, Luis Miguel vivía en otro estrato social completamente diferente al de Gustavo, lo cual nos hizo pensar que íbamos a tener mejores oportunidades de trabajo con él.

El departamento de Luis Miguel era un sótano de una casa que habían modificado para hacer departamentos independientes y, sorprendentemente, era bastante espacioso. A pesar de ser un sótano, era mucho más lujoso que el departamento de Gustavo; en pocas palabras, era el *american dream* hecho realidad.

El día de llegada, Luis Miguel nos llevó a comer y a pasear, pues para el día siguiente tenía que reincorporarse al trabajo. Él trabajaba tres turnos: en la mañana, era mesero en un restaurante y, a mediodía y en la noche, era mesero en otro, por lo que salía a las cinco de la mañana para llegar a su primer trabajo, y a las 11 regresaba de su último empleo. Por esta razón casi no convivimos con él. Esa primer semana disfrutamos de la televisión por cable de Luis y nos la pasamos conociendo Chicago y buscando empleo. Ya era una verdadera necesidad para nosotros, pues no habíamos conseguido mucho dinero. Bueno, yo no había conseguido ni un clavo, pues había trabajado exactamente una jornada y Paco fue el verdadero proveedor en ese momento, y ya empezaba a escasear el poco dinero que nos quedaba.

Daniel, un amigo de Luis Miguel que llegó a vivir también con él, trabajaba en un restaurante, en el área de cocina, y como sólo trabajaba un turno, fue quien nos llevó a conocer la ciudad. En una de esas excursiones en las que andábamos buscando empleo y conociendo la ciudad, llegamos al Merchandise Market, que es uno de los edificios más grandes de oficinas de Chicago, y el cual contaba con un pequeño centro comercial en el primer piso. Ahí fuimos al Friday's.[2]

El último lugar a donde había ido a comer en México antes de irme a Dallas había sido un Friday's, el que queda por Satélite, y la verdad es que nosotros nos sentíamos identificados con el funcionamiento del restaurante. Por esta razón llegamos ahí a pedir chamba mi hermano y yo, y pues, ya sabes: "llena una aplicación". Órale. Coincidió que hacía unos días habían renunciado dos *busboys*. La pregunta obligatoria: "¿hablan inglés?" "Sí". "Bueno, pues vénganse mañana con unos pantalones negros, zapatos negros y unos *suspenders*." Yo me preguntaba ¿qué son ésos?, pero no dije nada. Cuando regresamos a la casa, le preguntamos a Daniel y nos dijo: "son unos tirantes". Entonces nos fuimos a comprar nuestra indumentaria para el trabajo y al día siguiente nos presentamos.

Cuando llegamos entregamos nuestros papeles que, como me dijo mi primo, era más bien el requisito que necesitaban, aunque pareciera falsa, y empezamos a trabajar. Como ya habíamos tenido la experiencia del trabajo en la construcción, esto se nos hizo pan comido. Sólo teníamos que recoger las mesas, limpiarlas y dejarlas listas para los clientes que llegaran. Como estaba en un edificio de oficinas, casi no había trabajo, más que a mediodía, a la hora del almuerzo o *lunch hour*. Era una chamba que más que requerir de precisión, requería de velocidad, pues de lo que se trataba era no tener a la gente esperando. El problema para nosotros, que a la larga fue bendición, fue que nos tenían tachados de latinos. Los *busboys* que habían trabajado antes que nosotros en este restaurante habían sido de clase baja y, la verdad, gente bastante huevona, a la que no le gustaba trabajar, eran como pandilleros o qué sé yo. En este sentido, ya nos tenían catalogados, y más porque yo traía el pelo largo. Por suerte, mi hermano y yo estuvimos trabajando bien. Éramos rápidos y eficientes y al finalizar nuestro turno habíamos llamado la atención de los meseros de nuestro turno en el restaurante. A fin de cuentas, ellos eran los que nos supervisaban y nosotros les aligerábamos la carga de trabajo. Por otro lado, también hacíamos que

[2] Cadena de restaurantes a escala mundial que cuenta con unos 200 establecidos en el mundo.

hubiera más clientela, pues la podían sentar más rápido, lo cual nos redituaba más propinas.

En la jerarquización de rangos en el restaurante, el punto más bajo era el de *busboy*, y el más alto era el de *general manager*, gerente general, y tuvimos la suerte de que, por nuestra actitud de trabajo, el gerente general nos echó el ojo. Su nombre era John Nichols, y fue él quien nos apoyó de alguna forma para que rápido saliéramos del puesto de *busboy*.

Tiempo después empezamos a hacer amistad con los meseros. Esto fue todo un logro, pues los meseros tenían una jerarquía mayor a la nuestra y, en ese sentido, no podían juntarse con la chusma. Además, ellos eran gringos blancos y, por lo tanto, reacios a juntarse con la mexicanada. Poco a poco nos fuimos ganando la confianza de los meseros, hasta que nos llegaron a invitar a algún bar a la hora de cierre, para echarnos unos tragos. El punto es que ellos poco a poco fueron notando que no éramos de la plebe, que éramos educados, y que más o menos teníamos un nivel de conversación similar al de ellos.

Por otro lado, trabajamos mucho *overtime*, por lo que salíamos ganando en varios sentidos. Ganábamos más lana; no gastábamos porque no teníamos tiempo para ir a gastar, no nos aburríamos en la casa, donde no teníamos nada qué hacer más que ver la tele, y además, conocíamos a más meseros y nos dábamos a conocer, y sobre todo mostrábamos una actitud que le agradaba a los *managers*, pues llegábamos temprano y salíamos tarde. Todo esto nos trajo más beneficios de los que pudimos habernos imaginado, pues cosechamos el aprecio del gerente general y de los meseros. Hasta llegó el momento en que se peleaban por tenernos atendiendo en su estación.

A final de cuentas, las amistades que fuimos haciendo con los meseros hicieron que Paco conociera a Sue, quien era muy amiga del gerente general y, posteriormente, llegó a ser novia de Paco. Sue promovió ante el gerente que nos ascendieran tanto a Paco como a mí a meseros. El problema era que no había vacantes de meseros. Además, a mí me había interesado más la idea de ser barman. Entonces hablé con John y le expliqué que me quedaba todavía un buen tiempo en Chicago y que deseaba conseguir el puesto. Paralelamente a esto, en el departamento se habían estado formando tensiones entre nosotros y Luis Miguel, hasta que llegó el punto en que, ya con un buen dinerito guardado, decidimos buscar departamento y comprarnos un coche. Por fin nos dimos un lujo por nuestros esfuerzos en el trabajo. El coche que compramos era un BMW modelo 84, pero en muy buenas condiciones. En cuanto al departamento, después de algunas semanas de andar buscando, siempre bajo la tutela de Sue, quien para entonces ya era novia de Paco, encontramos un estudio bastante cómodo en Wrigley Village, que quedaba cerca del parque Wrigley Field. Ahí era la colonia de los chavos; era un lugar donde la mayor concentración de población estaba entre sus 20 y 30 años. Era una zona cara, pero bien valía la pena; ahora sí estábamos viviendo el *american dream*.

Al poco tiempo me subieron a barman. Esto fue tanto por la ayuda de Sue, como por el hecho de que tengo el carácter que se necesita para ser barman. Además de esto, ya cuando asciendes a un cierto estrato social, el traer el cabello largo, y tener acento extranjero es algo deseable. Es algo así como el chiste en que preguntan que cuál es la diferencia entre un alcohólico rico y uno pobre: que al rico le dicen tomador social y al pobre le dicen borracho. Así, mientras no tienes trabajo, es malo ser moreno, de pelo largo y con acento latino, pero cuando ya tienes una lanita y un buen coche, si tienes estas atribuciones eres como una estrella de cine.

Por su parte, a Paco pronto lo ascendieron a una categoría similar a la mía, pero en la cocina, y poco a poco fuimos juntando más dinero. Yo por mi parte fui acreditado como barman en el restaurante, y con eso me dieron acreditación internacional, la cual, aunque no estaba en mis planes, después utilicé para sacar ventaja en otros trabajos, ya en México.

¿Por qué volvimos? Yo, porque ya me habían acreditado como barman y quería regresar a estudiar. Claro, yo no sabía qué iba a hacer con mi vida en México, pero la verdad es que ya sentía que le había sacado todo el jugo al viaje. Sí, aprendí muchas cosas, pero ya extrañaba a México, a mis amigos y a mi familia. Además, Paco había tronado con Sue, y aunque no quedaron mal, él también decidió que lo mejor era volver a México.

Cuando regresamos estudiamos un tiempo, pero todos los lujitos que nos fuimos dando le dieron en la torre a nuestras ganancias, y ya cuando no podíamos darnos la vida a la que nos habíamos vuelto a acostumbrar, decidimos dejar el estudio. Trabajamos en algunos bares en México, y nos fuimos dando a conocer, hasta que pudimos acceder a los antros más fresas. Después de esto me fui a Cancún, donde trabajé como barman en varios antros.

¿Que por qué vine a dar a San Luis? Terminé aquí porque mis papás se habían mudado acá hacía un año. Yo me había hartado de trabajar en antros y vivir de noche. Además, no quería terminar de barman toda mi vida. Me vine a San Luis porque quiero terminar la carrera. Así que aquí estoy. Estudio en la Universidad del Valle de México la licenciatura en leyes, y tengo mi negocito con el que saco dinero para mis gastos. Ahora tengo cierta independencia económica, así no soy un lastre para mis papás; por otro lado, estudio para poder salir adelante en el futuro, pues el salario de barman no siempre me podría mantener.

ESOS VIAJES ME ACOSTUMBRARON A TRABAJAR[1]

María Luz Dávalos Flores

"Mejor ven a mi oficina y aquí me entrevistas porque tengo mucho trabajo", fue lo que Pedro me dijo cuando le pregunté por teléfono si podía entrevistarlo esa tarde. Yo tenía muchas ganas de que me contara su historia porque me parecía muy interesante, así que acudí a su oficina y ahí, mientras Pedro terminaba de hacer unos diseños de unos muebles que pronto sacaría a la venta, realizamos la entrevista.

Pedro acababa de cumplir 18 años cuando se fue a trabajar a Alaska. En ese entonces tenía algunos problemas económicos y personales, y para Pedro la mejor solución fue irse a Alaska: "Yo estaba en un periodo de crisis tanto económica como personal, y todo lo que era no estar en mi casa me parecía perfecto". Los padres de Pedro llevaban poco tiempo de haberse divorciado, y como Pedro había decidido vivir con su papá, a su mamá la veía poco. El papá de Pedro, que es arquitecto, no tenía trabajo y, por lo tanto, la vida de Pedro había cambiado repentinamente. La ida a Alaska le cayó "como anillo al dedo" y, como Pedro dijo: "fue una manera de huir y una manera de ganar dinero porque decían que se podía hacer una fortuna".

Ahora Pedro es arquitecto, tiene 27 años de edad, y se dedica a diseñar muebles. Hace poco más de un año, él y un amigo pusieron una pequeña fábrica de muebles, y en los próximos meses abrirán una mueblería en San Luis.

La historia de Pedro muestra las peripecias a las que los jóvenes migrantes se tienen que enfrentar en un lugar muy lejano en donde todo es chamba y se busca optimizar las ganancias.

[1] Entrevista realizada con grabadora el 1 de diciembre de 2000 en San Luis Potosí.

* * *

Yo estaba chavo y, en ese entonces, tenía muchos pedos, muchos problemas, conflictos en mi casa. Un día estaba en casa de un compañero de la escuela haciendo un trabajo, y ahí estaba su hermano con unos amigos echando chela, y se andaban organizando una ida a Alaska. Yo estaba a punto de cumplir 18 años y de terminar de estudiar la prepa.[2] La neta es que yo no tenía ganas de estar aquí, en México, porque en mi casa la desintegración familiar y la situación económica estaban muy gruesas, y me le pegué al "Negro" y a sus cuates en los planes para ir a Alaska. Nos juntamos dos que tres veces para medio que organizarnos y todo eso.

Mi jefe no quería que me fuera y mi mamá, que se enteró ya casi cuando tenía un pie en el avión, tampoco. Como era chavo y estaba jodidón, no tenía lana para el avión. Mis jefes no me iban a dar porque no querían que me fuera y porque tampoco tenían; entonces tuve que vender mi bicicleta, una tele y chunches que yo tenía para poderme ir.

Me junté con estos cuates y compramos el vuelo. El único problemilla era que yo todavía no cumplía 18 años, y pues les dije que me esperaran hasta que los cumpliera, porque si no no me iban a dejar salir del país sin el permiso de mis jefes. A estos cuates como que no les latió tanto, pero como unos se habían llevado unos extraordinarios en la uni, pues no tuvieron más remedio. Cumplí 18 años el 19 de junio, y el 24 de junio me fui. Iban otros tres amigos más; bueno, dos de San Luis y uno de Monterrey. Fue una manera de huir y una forma de ganar dinero porque decían que se podía hacer una fortuna. Nos fuimos en el verano, pues esa es la fecha en la que está todo el *bussiness*. Un amigo de uno de ellos, que ya había chambeado en Alaska, nos dijo que el negocio grande estaba en esa época, que era cuando el salmón pasa y hay bastante trabajo en las empacadoras.

Yo tuve la gran ventaja, o cometieron el error cuando saqué mi pasaporte de que me dieran el pasaporte como a los 15 años por cinco años. Se supone que cuando te dan el pasaporte, te lo dan por los años que te faltan para cumplir 18 años. Se supone que de los 18 a los 19 no puedes salir del país porque tienes que hacer tu servicio militar. Conmigo se equivocaron y me lo dieron por los años que lo pedí; eso estuvo

[2] Esto sucedió en 1991.

muy raro, pero muy chido, porque si no ni me hubiera podido ir. Yo ya tenía mi visa indefinida, que me la habían dado desde chico, y ya no tuve problemas para salir. Me fui con mi visa y con mi pasaporte.

Compramos el boleto de avión Guadalajara-Los Ángeles, Los Ángeles-Anchorage, porque pos creo que es como la única opción para ir a Alaska y porque, además, alguien, que yo nunca conocí, le dio a uno de los güeyes el contacto de una persona en Los Ángeles que nos iba a dar papeles falsos para poder trabajar en Alaska. Con ese tip nos quedamos unos días en Los Ángeles para poder sacar la *green card* y el *social security*. Me acuerdo que luego luego llegando a Los Ángeles le hablamos a la persona que nos iba a conseguir todas esas madres. Todo era así como muy misterioso porque has de cuenta que cuando le hablamos al güey ese, nos dijo que teníamos que ir a una esquina. La verdad es que no me acuerdo de las calles, que llegando a la esquina nos paráramos y que iban a llegar unos cuates. Nos habían dicho que nos iba a costar 100 dólares y que teníamos que llevar las fotos, pero no'mbre, cuál, llegamos yo y otro amigo, nos paramos en la esquina y ya llegó ahí un sabrá Dios qué habrá sido, un colombiano, ecuatoriano, peruano, no sé, un latino, llegó y nos dijo: "¿Qué quieren?" Y nosotros pos así, como todavía medio pollos: "Pos cómo qué". "Tarjetas verdes, droga." "Sí, queremos tarjetas verdes." "Ah, bueno, pues treinta dólares. Y, ¿ya traen fotos?" "Sí, todos menos uno." "Ah, bueno, pos el que no trae fotos pos que venga." Yo creo que ese güey manejaba todo lo ilegal. Nos llevó a una placita y ahí le tomaron las fotos a este cuate; no nos pidió lana ni nada, sólo nos dijo que lo esperáramos media hora y se fue. En la media hora nos metimos a un restaurancillo de hamburguesas que ahí había a esperarlo. La zona no estaba muy bonita, y el ambiente estaba bien rudo, porque todos te veían con cara de malditos, había puro latino bien severo, y nosotros así, pos ya sacadones de onda, con miedito. En esto llegó el cuate, y no pos aquí está, y nos repartió el *social security* y el *green card*. Ya le pagamos y nos fuimos.

Nosotros nos queríamos quedar más tiempo en Los Ángeles, pero pues como no teníamos lana, volamos al siguiente día a Anchorage. Cuando llegamos estábamos sacadones de onda, como que ni nos imaginábamos cómo era Alaska, y la neta es que estaba super chido. Ahí nos refugiamos en un hostel, albergue juvenil. Al día siguiente fuimos a caminar y a conocer la ciudad, y fuimos a pedir chamba a la empacadora que un cuate nos había recomendado, pero no había nada de chamba.

La verdad es que no teníamos como mucha idea de a dónde ir a pedir trabajo; andábamos un poco perdidos. De suerte que en Anchorage conocimos, de pura casualidad, a un taxista mexicano que nos dijo que ahí era más difícil que pudiéramos conseguir chamba, que era mejor ir a Kenai, donde hay un chorro de empacadoras. Como él tenía una pick up, pues se ofreció a llevarnos para allá y sólo nos cobró 100 dólares. Se llamaba José y era súper amable, súper, súper buena onda el güey. Además nos hizo un parote.

Este José nos llevó a una cabaña de un amigo suyo, que también era mexicano, que quedaba en el camino. Su amigo se dedicaba a buscar oro en un río. Su cabaña estaba preciosa. Llegamos y su cabaña sola, y todo abierto y nosotros: "chale, qué onda". La verdad es que hasta se nos antojó quedarnos ahí a ayudarle a buscar oro, porque la vegetación estaba impresionante, vas por la carretera y ves cimarrones, y así súper chido. Además tenía sus motos y sus lanchas y así. El José nos llevó en Kenai a un lugar en donde acampar y nos dio el nombre de un conocido suyo para que nos diera chamba. Ese güey que nos recomendó era un mamón y como que nunca nos peló mucho.

Como no teníamos ni dinero ni chamba, vivíamos en casa de campaña en parques nacionales, y nos bañábamos en un como club deportivo en donde nos cobraban has de cuenta como un dólar por la toalla y un dólar por bañarnos. Entonces pues nos bañábamos como una vez a la semana solamente. En realidad nunca pudimos rentar un departamento; la verdad no sé por qué. Yo estaba chico y nunca lo rentamos, a mí se me barrió, como que yo se lo dejaba a los más grandes. No nos importaba tanto acampar, porque como era el verano no hacía tanto frío, aunque sí llovía muchísimo.

Ahí en Kenai nos encontramos con otros tres cuates de San Luis, pero ellos tampoco tenían departamento, y también vivían en una tienda de campaña. Al principio, cuando nos cansábamos mucho, nos íbamos a un hotelito, porque ahí creo que no había ningún hostel, o por lo menos nunca lo encontramos, para aunque sea dormir bien una noche. Pero después, como no teníamos chamba ni dinero, pues ya no se pudo.

Pasamos un rato sin chamba porque hubo una huelga. Los barcos pesqueros son independientes de lo que son las fábricas procesadoras. Las fábricas les querían pagar muy barato a los pescadores, y pues éstos no les querían vender el pescado, y se fueron a huelga para incrementar los precios. Exactamente cuando llegamos nosotros estaban en huelga, esto nos partió porque no estaban empleando gente, y pues duramos como tres semanas sin chamba.

En esas semanas la pasamos bastante mal. Ninguno tenía mucho dinero, pero pues la agarrábamos como medio de relajo, de aventura, de a ver qué pedo. A veces dormíamos en los cajeros, o pues donde cayera. Fue muy mala época para llegar a chambear. Un día me levanté temprano a buscar trabajo; iba caminando por la playa y se me acercó un perro, un labrador, a mí me encantan los perros, me hinqué para acariciarlo, y pues se acercó su dueño y me empezó a hacer plática; le dije que era mexicano y bla bla bla, y me preguntó: "¿qué andan haciendo?". "No pos buscando chamba." Resultó que el cuate era gerente de una empacadora, y me dijo que si quería chamba que él me daba, pero que sólo tenía cuatro plazas y que si quería, pues me diera prisa porque las chambas estaban peleadísimas. Corrí a donde estaba la casa, y les dije que ya había conseguido trabajo y que había otras tres plazas. Al principio no me creían y pues los que sí me creyeron se vinieron conmigo, y pos esos tuvieron chamba. Luego logré, por este mismo cuate, conseguirle chamba a los otros tres cuates que nos encontramos ahí, en una isla, que no me acuerdo cómo se llamaba, en donde empacan el caviar, y pues se fueron a trabajar para allá. No aguantaron mucho porque la empacada de caviar estaba horrible; el caviar huele a rayos y centellas, y no aguantaron. Si dejabas de ir un día perdías la chamba porque estaban muy peleadas por la época. Había muchos estudiantes gringos y canadienses que iban ahí a trabajar para poderse pagar sus carreras. Ahí estuvimos un buen rato trabajando. Yo llegué a trabajar 12 horas seguidas, y la verdad es que sí te la partías.

El pescado llega en unas como cajotas, un poco congelado, como con escarchita. Lo vacían en una banda. Al principio de la banda hay un cuate que separa lo que son las tripas y lo que es el caviar, luego hay una máquina en donde le cortan la cabeza, y luego caen en un balde así de agua, tú lo abres y lo que le queda de tripas se las arrancas y lo pasas a que lo pesen y empaquen.

Lo primero que me tocó a mí estaba de la fregada, porque era estar en un balde de agua fría en donde caen todos los peces de la banda, no estás adentro del agua, pero está muy bajo el balde, y pues te salpicas, y tienes que estar medio agachado todo el tiempo. Todo el proceso es con agua, el agua está helada y, aunque no quieras, te mojas. Tú tienes que comprarte una botas de plástico como de jardinero, la empresa te da una chamarra, unos pantalones, unos guantes de tela y otros de plástico que van arriba de los de tela, también te dan como una palita para limpiar el pescado; de todas formas, las manos las tienes congeladas todo el tiempo y te cansas la espalda porque estás agachado, y así.

Al principio sólo te dan ocho horas porque quieren ver cómo trabajas y si eres de fiar y eficiente. Cada cuatro horas nos daban 15 minutos de descanso para comer o descansar. La mayoría lleva lunch, y si no ahí hay máquinas de porquerías y un comedorcito, entonces te vas ahí, te haces menso un rato. Después me dieron doce horas, y trabajaba de siete de la noche a siete de la mañana. Casi no había mexicanos trabajando ahí, pero creo que ahora hay muchos más. De pronto, ahí se acabó la chamba, y lo que hicimos fue regresar a Anchorage de nuevo.

Tuvimos que andar tocando puertas para que nos dieran trabajo, y pues uno de los que iba conmigo consiguió trabajo en Whitney Packers, y pues después, cuando corrieron a unos, nos consiguió chamba a mí y a los otros dos. No conocimos a nadie que nos consiguiera chamba realmente; entonces tenías que ir a las oficinas a pedir trabajo, te pedían tus documentos y todo, y pues nosotros enseñábamos los *green cards*, pero los empleadores sabían perfectamente que los *green cards* eran súper falsos, ni hablábamos bien inglés ni nada, pero no les importaba; ellos lo que quieren es un papel que los respalde, porque si les llega la ley a ellos se hacen de la viste gorda y dicen que no se dieron cuenta que los papeles eran falsos, y pues la ley ya no los sanciona. Ellos te piden un documento, pero sólo por tener algo.

Ahí también empecé sólo con ocho horas y terminé trabajando 16 horas, o sea el doble, dos turnos. Un turno me lo pagaban como turno normal, que eran como 5.80 la hora, y el segundo turno me lo doblaban. Cuando trabajaba 16 horas, llegué a tener cheques por un día de 164 dólares, y creo que tengo por ahí uno de recuerdo. El trabajo es un trabajo de la fregada porque tienes los pies y las manos frías todo el tiempo, el agua está corriendo todo el tiempo por el piso, y aunque traes botas, se te enfrían los pies.

También empecé limpiando pescado, luego pasé a la banda, en donde acomodas el pescado para que entre a la máquina que le corta la cabeza y, después de ese proceso, que es el más feíto porque estás en contacto con el agua todo el tiempo, pasé a las básculas, en otro piso, sentado, ya no estás mojado ni nada. Lo que tenía que hacer era pesar el pescado, que tenía que pesar 57 libras cada paquete, y pues la chamba ahí era escoger los pescados adecuados para que todo pesara 57 libras. Trabajar en las básculas era muy distinto porque pues ya estaba sentado y no parado como antes, con mis descansillos de 15 minutos.

En todos los puestos te pagan igual, lo único era que a la gente que se aguantaba más tiempo y que le echaba ganillas pues iba subiendo, y pues pasaba a las básculas, no tenías que ser muy abusado ni muy intelectual ni nada así, sólo chambear y ya.

Alaska es un lugar complicado para vivir, se va mucha gente como a refugiarse, son muy huraños, gente complicada con muchos problemas, generalmente. A la gente que vive en Alaska el gobierno de Estados Unidos le da una cantidad mensual para que viva, hay mucho veterano de guerra y gente así como que no les interesa mucho la vida, como que no están contentos con la vida y prefieren irse ahí a tenerse compasión. En general, los esquimales se tiran a la flojera o chupan y como que no hacen nada. Ahí te encuentras gente de todo, gente chafa, gente amable, pero casi mexicanos no había. Alaska es más caro que cualquier otro lugar de Estados Unidos, las rentas y todo, y pues aunque ganábamos muy bien también gastábamos mucho, no creas que era tan fácil ahorrar.

Dos de los que iban conmigo no aguantaron y se regresaron. Yo le tuve que prestar dinero a uno para que comprara el boleto de avión y se regresara, y entonces cuando fue a mi casa para darle el dinero del avión a mi jefe para que él me lo depositara, le contó cómo vivíamos. Yo creo que les dijo que allá vivíamos peor que animales y, entonces, pues se asustó mi papá, y me compró un boleto y me lo mandó, y pues me regresé.

Estuve como cuatro meses; junté bastante dinero, me compré ropa, viajé por ahí, y pues hasta me traje algo para acá y para la universidad. Yo no me quería regresar porque las broncas de la familia no habían mejorado, y no me quería regresar. Tal vez si mis circunstancias hubieran estado mejor y las cosas en mi casa hubieran estado muy bien me hubiera regresado como los demás. Era vivir mal: trabajabas 16 horas y el resto era para comer y para dormir porque la chamba era muy cansada; no te divertías, no salías, no nada, puro trabajo. No te llevabas con nadie, no hacías amigos, sólo ibas a hacer tu trabajo. De todas formas, yo prefería estar allá que aquí en San Luis.

Cuando regresé a San Luis, me puse a trabajar y después me metí a estudiar arquitectura, porque lo que a mí me encanta es el diseño. A Alaska no me quedaron muchas ganas de regresar, no... Yo creo que no volvería a ir a trabajar para allá.

Después volví a ir a chambear a Estados Unidos, pero la segunda vez fue súper diferente. El papá de un amigo de la secundaria tenía una panadería, La Guadalupana, en Phoenix, Arizona, una ciudad muy nueva, muy tecnológica, muy bonita; ahí todos los servicios son modernos. Me invitó a trabajar en la panadería, que era un negocio familiar. Esa vez fue todo diferente porque vivía en su casa con todos los servicios y las comodidades, y pues casi hasta mejor que en mi casa.

Esos viajes me acostumbraron a trabajar, y desde que tengo 18 años yo me mantengo solo. La neta fue una etapa chida de mi vida, pero no he vuelto a pensar en irme porque, pues ya no, ya pasó esa etapa de la aventura, ya tengo 27 años, otros planes y mi negocio.

EN UN PAÍS AJENO[1]

Miguel Ángel Martínez Hernández

Francisco Reyna pertenece a la clase media, nació en la ciudad de México; cuando era niño, sus padres lo llevaron a vivir a San Luis Potosí. No terminó la preparatoria y decidió dedicarse a la música. Se casó y tuvo una hija. Al igual que gran parte de los mexicanos, su situación económica era muy mala, por lo que en 1989 fue a Houston en busca de mejor suerte, trabajo, mejores condiciones salariales y, en general, mejores condiciones de vida que las que tenía en su país. Francisco emigró a finales de la década de 1980, específicamente en 1989. Durante ese periodo México y Estados Unidos intesificaron los tratos comerciales, pues fue en esa época cuando México comenzó a integrarse de manera más formal al mercado mundial.

Alrededor de 1986, el gobierno de Estados Unidos buscó ejercer mayor control sobre los flujos migratorios a su país. Para dicho propósito se creó el programa IRCA, por medio del cual se reforzaría el patrullaje en la frontera con México; se sancionaría a los empleadores estadounidenses que contrataran trabajadores ilegales y, lo más importante para los migrantes, se apoyarían los derechos civiles de los trabajadores ya establecidos en Estados Unidos y se ofrecerían alternativas de legalización.

Este programa provocó que durante esos años la inmigración de mexicanos en Estados Unidos creciera considerablemente, pues el IRCA no sólo ofreció facilidades para que los migrantes se legalizaran, sino además facilitaba su estancia.

Hay que agregar que la situación en México era muy difícil, pues había una tremenda inflación y alto índice de desempleo. Esta situación y las facilidades ofrecidas en Estados Unidos a los migrantes, motivaron la partida de Francisco y de muchos mexicanos más.

[1] Entrevista realizada en la ciudad de San Luis Potosí el 21 de noviembre de 2000.

* * *

Me largué de aquí por dos simples razones: aquí no me alcanzaba para nada el dinero, si es que acaso tenía trabajo, y el trabajo de un músico no lo valora nadie. Para finales del 88 ya estaba medio desesperado, y le dije a Rocío que me contactara con sus hermanos. La idea inicial era conseguir por allá una chamba como músico mejor pagada o, ya por lo menos, algún otro trabajo, aunque fuera en otra cosa. Me iría yo solo, y después me alcanzaban mi chava y la niña.

La verdad me daba mucho miedo irme de ilegal porque es muy probable que no entres y, además, te tratan de la chingada, igual y hasta sales madreado o te mueres. La bronca iba a ser conseguir la visa, pero hasta eso no estuvo tan difícil, pues, según yo, nomás iba de paseo por un tiempo con mis cuñados, y como ellos ya estaban bien establecidos para ese entonces pues no hubo tanto problema. Ya que estaba encarrilado en eso, muchas veces pensé que mejor me quedaba, pues tampoco creas que los gringos me caen muy bien, pero tenía que escoger: o los gringos o morirme de hambre.

Mi chava todo el tiempo me apoyó, y también se quería ir de aquí, pues ella tampoco estaba contenta con nuestra situación en San Luis. Su familia y la mía tampoco pusieron trabas. Además, los hermanos de mi esposa dijeron que me fuera y ellos me ayudaban, y que entonces estaba más fácil conseguir trabajo legal pues estaban dando oportunidades.

Para diciembre del 88 ya tenía todo arreglado y estaba listo para irme finalmente; a ver si ahora sí lograba hacer algo un poquito mejor para mí y mi familia. Cuando iba para allá, iba con mucha incertidumbre y mucho miedo, lo único que me tranquilizaba y me seguía animando para irme era que tenía con quien llegar, ya mínimo no iba a llegar a la aventura; además, a Houston ya se había ido otro amigo un año antes y también pensé en buscarlo a él.

Cuando llegué, la situación fue más tranquila de lo que pensé; no tuve problemas para encontrar a mis cuñados, pues ellos ya me estaban esperando. Lo primero que me dijeron fue un montón de advertencias sobre cómo comportarme con la gente; que tenía que aprender inglés en chinga porque eso me iba a alivianar mucho; que ellos me recibían en su casa, pero tenía que trabajar pronto, incluso ellos ya, más o menos, me habían buscado chamba.

La primera semana no hice nada, pues todavía no había conseguido nada. A la segunda semana empecé con un trabajo que me consiguieron en un bar donde trabajaba un chavo de Piedras Negras, amigo de mis cuñados. Ahí la hice de todo, desde barrer, trapear, lavar baños, vasos y unas noches hasta de barman le hice. Ahí mi sueldo variaba mucho dependiendo de lo que me tocara hacer; además, a veces trabajaba más horas. Al principio sacaba a lo mucho 10 dólares, a veces cinco, a veces hasta 16 o 17. No tenía un sueldo fijo, pero al menos casi era seguro que diario ganaba algo.

Mis cuñados no me cobraban nada por estar con ellos, pues dijeron que en lo que yo me acomodaba y agarraba bien la onda no me apurara. Yo no quise aprovecharme y les pasaba lo que podía. Por otro lado, yo no gastaba en nada más, no compraba cosas para mí, ni ropa ni nada, sólo cuerdas de guitarra. Como mis cuñados mandaban dinero a la familia en San Luis, yo aprovechaba para mandar lo más que podía a Rocío, a veces más, a veces menos.

Como a los dos meses y medio resultó que cerraron el bar por broncas del dueño y todos nos quedamos sin trabajo. Ahí éramos tres mexicanos, el de Piedras Negras, que me trataba muy bien y me echaba mucho la mano, y había otro de Guadalupe, Zacatecas.

Estuve como unas tres semanas sin trabajo, y el de Piedras Negras ya había conseguido algo, entonces me pudo meter a trabajar con él. Entonces, el trabajo era en una fábrica de ropa donde hacían pantalones de mezclilla y camisas; ahí tenía que estar poniendo botones a los pantalones y camisas, lo cual era un trabajo muy patético y aburrido; me la pasé muy mal. Ahí ganaba como entre 15 o 20 dólares diarios, y trabajaba como 12 o 13 horas; era muy tedioso y cansado.

Hasta entonces estaba un poco olvidado de la música, lo cual me frustraba un poco, pero no podía hacer nada. Pensaba que si no podía conseguir otros trabajos, menos iba a conseguir trabajo tocando. Aunque mi idea original era buscar trabajo de músico, estando ahí me di cuenta de que las cosas no eran tan sencillas, no sólo en la música sino en todo. Esto me estaba desilusionando mucho. Por lo pronto nomás practicaba en la casa y todo el día trabajaba.

Una noche de un sábado, mis cuñados me invitaron a salir, era la primera vez que salía para algo que no fuera el trabajo; fuimos a un centro nocturno como de ambiente latino, dizque para no extrañar a México. Ahí estaba un grupo que tocaba salsa y música latina y mexicana, y conocí a los músicos; dos de ellos eran mexicanos, y de inmediato empezamos a hablar, me ofrecieron entrar a tocar con ellos, pues siendo yo mexicano quedaba bien con el grupo, de inmediato acepté, pero les pregunté si no había bronca de trabajar así sin papeles, pues les expliqué que yo estaba ahí supuestamente sólo de paseo. Me dijeron que no había problema, que ellos estaban en la misma situación y tenían así unos dos años y medio.

Con ellos estuve trabajando un buen tiempo, y seguía en las mañanas y tardes en la fábrica de ropa; no podía creer que ahora hasta tenía dos trabajos. Ya estaba un poco más contento, pues además mis cuñados también lo estaban porque con lo que estaba sacando con las tocadas ganaba mucho más que antes, entonces les daba algo para la casa y seguía mandando acá a San Luis con la idea de que Rocío se pudiera ir conmigo en un tiempo.

Al estar viviendo allá, siempre todo parece muy aburrido, pues aunque yo estaba empezando a ganar un poco más de dinero y me sentía más tranquilo en ese sentido, mi vida era demasiado monótona, pues no hacía más que trabajar y volver a la casa. Lo poco que salía lo hacía siempre con mucha inquietud, miedo y una sensación de estar muy solo aunque ahí estaban mis parientes y algunos conocidos. Los gringos que trataba y conocía eran un poco racistas conmigo. Aunque algunos lo tratan a uno bien, nunca te dejan de ver como si fueras menos, porque eres pobre, tienes malos empleos, etcétera. Además, cuando te dan trabajos, o se los pides, te tratan mal, y es como si ellos te estuvieran haciendo un favor por caridad o algo así. Esta situación de no pertenecer y de sentirse humillado, a veces me resultaba más pesada que la cuestión económica, pero pensaba que yo había ido ahí a trabajar, no a hacer amistades, por eso la situación me parecía llevadera. Ya cuando uno tiene un tiempo viviendo allá, se da cuenta de que extraña mucho a su país y, sobre todo, a la familia. No había día en que no pensara en regresarme pronto a San Luis.

Seguí trabajando en la música varios meses, hasta que también eso se acabó, pues el grupo en el que tocaba se deshizo. Lo bueno fue que para entonces ya había yo hecho algunas relaciones con más músicos, tanto mexicanos como gringos. Durante un tiempo estuve haciéndola de muchas cosas, fui hasta mariachi, cumbiero, roquero y de todo me tocaba hacer para ganar dinero. Después de un tiempo me salí de la fábrica de ropa, pues era un trabajo muy desgastante y no pagaban muy bien;

además, un amigo que había conocido me dijo que me estaba consiguiendo otro trabajo para el día, y supuestamente ese trabajo estaba mejor.

En varias ocasiones me ofrecieron trabajos en el campo, pero eso nunca lo vi como una opción, pues nunca había hecho nada de ese estilo y creí que simplemente, aunque hubiera querido, físicamente no lo hubiera aguantado, pues son trabajos muy duros. Además, me parecía que eso sería más pesado que lo de la ropa y sólo me iban a explotar. No creía que el campo fuera algo para mí.

Así seguí por algunos meses haciendo tanto trabajos en la música como trabajos de otras cosas; por ejemplo, empecé a conocer personas, en su mayoría mexicanos que ya tenían tiempo allá y estaban bien acomodados, y les arreglaba sus jardines y les hacía todo tipo de trabajos y arreglos en sus casas. Pensaba que en realidad mi situación no era mucho mejor que la que tenía en México, pero al menos no me estaba muriendo de hambre. Pero seguía sin tener un trabajo seguro y de planta. En realidad los trabajos que hacía eran igual de malos a los que podía tener acá, pero allá me pagaban un poco más que en México y, además, en dólares, que yo enviaba a mi familia. Hay que aceptar que lo más atractivo de Estados Unidos son los dólares, además de las supuestas mejores oportunidades de trabajo.

A través de uno de mis cuñados fui a dar con un señor de nombre Frank Morán, también de origen mexicano, pero nacido en Estados Unidos, hijo de padres mexicanos. Él se encontraba al frente de una agencia de colocaciones, pero que trabaja fundamentalmente con latinos, la mayoría mexicanos que llegan a buscar trabajo. O sea que tú, como latino, vas, dejas tu solicitud y ellos te canalizan a algún empleo. Esta persona, para entonces, ya había ayudado a algunos conocidos a encontrar trabajo en muy diferentes cosas, incluso decían que a algunas personas él les conseguía prestaciones, seguro médico, contra accidentes, pensión de retiro, etcétera.

Para entonces, lo que a mí me urgía era ya legalizar mi situación y arreglar mis papeles para poder conseguir un trabajo fijo y mejor sin tener que andarme escondiendo, olvidarme de la migra y de una posible deportación. Frank me dijo que ya una vez que me consiguieran el empleo iba a ser muy fácil que me legalizaran, pues entonces se estaban presentando muchas facilidades. Me dijo también que yo no iba a tener mucho problema, pues estaba en edad productiva y sabía que yo era muy chambeador. Esta persona me consiguió un trabajo con un señor que se dedicaba a la construcción, éste era mexicano, pero ya con muchos años allá. Empecé a trabajar para él, primero en puestos bajos y poco a poco pude subir. Él mismo me ayudó a legalizarme; por fin tuve papeles y mi situación en el trabajo era mucho mejor. Ya podía trabajar legalmente, y conseguí la ciudadanía. Empecé a ganar más dinero y a pensar en irme a vivir a otra casa cerca de la de mis cuñados. Además, entonces, fue más sencillo llevarme a mi esposa y a mi hija. No hubo problema, pues ellas dos pudieron pasar sin ningún percance, y lo más importante fue que pasaron legalmente en 1991. Para entonces yo ya había dejado la cuestión de la música, ya nomás lo hacía como de *hobby*.

Tanto Frank como mi nuevo jefe me dijeron que la bronca que tienen allá con los latinos es que los que nacen en Estados Unidos o se crían allá son bien huevones porque como ya son ciudadanos se dedican a vivir del *wellfare*. La mala reputación de los latinos es por esos que son así, flojos y vividores, pero estas dos personas comprendían que los que nos vamos ya grandes o, bueno, que te vas porque tu situación está bien jodida, vas dispuesto a partírtela y a hacer las cosas bien porque ya no tienes otra alternativa, o la haces o la haces. Tú sabes que si te regresan de allá ya valiste; primero, por la escasez de trabajos y, otra, porque aunque te encuentres un trabajo, te lo van a malpagar. En cambio, allá todos son bien flojos y están acostumbrados a la vida lo más cómoda y fácil, por eso hay trabajo, los que nos vamos trabajamos haciendo lo que los de allá no quieren hacer; en realidad, nosotros vamos a hacerles todo más fácil

Ya estando con mi esposa y mi hija allá se me hizo todo más sencillo; por un lado, ya no me sentía solo y, además, tuve oportunidad de irme a otra casa con ellas dos, ahí mismo, muy cerca de mis cuñados, en un barrio de puros mexicanos. Mi hija empezó a ir a una escuela y empezó a aprender el idioma gabacho con facilidad. Mi esposa batalló más para eso, pero como ella ya llegó en situación legal, pudo empezar a trabajar muy rápido. Para entonces ya la situación había cambiado mucho.

Sigo creyendo que yo tuve suerte en encontrar un buen trabajo, pues también conocí gente que no encontraba buenas oportunidades. Además, ahora está mucho más difícil irse a trabajar a Estados Unidos, tanto para pasar como para encontrar un buen trabajo. Yo pude establecerme y encontrar mejor suerte que en México, pero Estados Unidos sigue sin gustarme. Al principio me la pasé mal, y ahora que ya tengo trabajo y a mi familia conmigo, no puedo decir que lo pasé muy bien, pues aunque ya tengo una mejor situación económica, más segura y estable, me sigo sintiendo ajeno al país, y no dejo de pensar en regresarme a San Luis. Ahora que vivimos como legales allá, podemos entrar y salir con facilidad; venimos aquí a San Luis cuando podemos para visitar a la familia. Tengo el plan, para dentro de unos años, de regresarme a mi país cuando tenga un poco más de dinero, pues, a pesar de todo, Estados Unidos es un lugar feo, injusto y peligroso para vivir.

CHICAGO, EL SUEÑO AMERICANO Y UNA FAMILIA MEXICANA[1]

Israel Navarro García

Esta es la historia de la señora María de Lourdes García y su familia que, como muchos mexicanos, emigraron hacia Estados Unidos en busca de mejores condiciones de vida. Hace tres años, María de Lourdes y su familia partieron con rumbo a la ciudad de Chicago. Y a sólo tres años de haberse ido, la entrevistada habla del éxito y de las oportunidades que han obtenido al residir en Estados Unidos.

Esta familia tuvo que esperar 12 años para recibir una respuesta del consulado de Estados Unidos a su petición de residencia. La demora en los trámites migratorios dependía directamente de las autoridades estadounidenses; sin embargo, en México la política económica interna afectó, directa o indirectamente, a muchos mexicanos de clase media. Por lo tanto, una de las válvulas de escape a esta situación fue el aumento de la migración a Estados Unidos. Este es sólo uno de muchos casos.

* * *

Mi esposo y yo no teníamos, y no sentíamos que podíamos darles un mejor futuro a mis hijos en México. Yo tengo tres hermanos que habían emigrado a este país hace 20 años y están en condiciones mucho mejores, y por más que nosotros nos esforzáramos por sacar algunos centavos extra para pagarles una buena carrera a mis hijos, no veíamos por dónde.

Somos de Cedral, pero cuando yo tenía doce años nos cambiamos a vivir a San Luis Potosí, a una casa que está en la Unidad Ponciano Arriaga; tiempo después, mis hermanos se fueron a Chicago y me quedé

[1] La entrevista fue realizada a través de un programa de conversación virtual en tiempo real por la Internet (ICQ), ya que la persona entrevistada y su familia siguen residiendo en la ciudad a la que emigraron.

viviendo con mi hermana Bety. Luego vino la muerte de mi papá, y Bety yo duramos un tiempo viviendo solas, hasta que se casó y se fue vivir con su esposo. Después me casé, y mi esposo y yo nos quedamos a vivir en esa casa. En realidad nunca nos faltó el sustento y el pan en la mesa, pero a la larga sentimos que del otro lado tendríamos más oportunidades.

Nosotros llegamos hace poco menos de tres años a Chicago, pero la idea de irnos a vivir a Chicago ya tenía mucho tiempo. Mi hermana Teresa, al ver nuestra situación económica y emocional, nos hizo una aplicación ante migración de Estados Unidos, pero todo quedó en el olvido, porque no recibimos una respuesta pronto. Después de doce años, llegó una notificación de que habían aceptado la aplicación, pero no había lugar en nuestra categoría, y así pasaron varios años más.

Básicamente, nuestros ingresos dependían del trabajo de mi esposo como chofer del personal de las autopistas de cuota, además de que por la cercanía de la casa al Tecnológico Regional atendía a algunos estudiantes de allí, en la casa de asistencia; pero, con el tiempo, dejé ese negocio porque era muy absorbente, y abrimos una pequeña tienda de abarrotes que pusimos al lado de la casa, pero aun así nuestra situación financiera era limitada.

Pero un día llegó un sobre del consulado de Estados Unidos que contenían las aplicaciones para mandar una serie de documentación y un relato de por qué queríamos emigrar. Enviamos todos nuestros documentos, como acta de nacimiento, antecedentes no penales, constancias de trabajo y estudio, etcétera. Al mismo tiempo pedían a mi hermana Teresa alguna documentación, como copias de los *income tax*, solvencia económica, cartas de trabajo, en fin, una información muy detallada.

Después pasaron siete u ocho meses y recibimos una cita para presentarnos en el consulado de Ciudad Juárez el 19 de septiembre de 1997, para tomarnos las huellas digitales; revisaron toda la información, y el 19 de marzo de 1998 nos llamaron para la entrevista con el cónsul. Como todo estaba en regla y se cumplían con todos los requisitos, en ese mismo día nos dieron un paquete que contenía la residencia legal en Estados Unidos.

Todo el personal del consulado nos trató muy bien, en ningún momento hubo trabas por ser de nacionalidad mexicana; pero sí nos tocó ver gente que llevaba mucho tiempo formada, y la regresaban porque les faltaban algunos papeles. Lo único desagradable de esos trámites fue que tuvimos que pasar por una serie de análisis médicos, los cuales fueron muy cansados porque nos fuimos en el coche de mi hermana a Ciudad Juárez para arreglar esos papeles, y nos trajeron de un consultorio a otro y todos los análisis los teníamos que pagar de nuestro dinero y en dólares, y como no sabíamos cuánto dinero iba a ser en total de los exámenes médicos no llegamos a ningún hotel. Estuvimos un día sin comer y una noche entera haciendo fila para que nos pasaran, por eso nos turnábamos para descansar en el coche por ratos. Pero como todo eso era parte del trámite, no había nada que decir. Finalmente nos dieron los papeles legales para vivir en Estados Unidos, ya sólo faltaba emigrar.

Una vez que planeamos el viaje, empezamos por ver cómo solventábamos los gastos; con quién dejaríamos la casa, que más tarde sería vendida. Tuvimos que vender todas nuestras pertenencias y mis familiares enviaron algo de dinero, y fue así como el 23 de abril de 1998 se realizó el viaje a Estados Unidos en una línea de autobuses El Conejo. Al llegar a Laredo, Texas, entregamos la documentación correspondiente, y sellaron nuestros pasaportes.

El viaje fue de lo más cansado porque duró 36 horas. Me acuerdo mucho del viaje porque antes de abordar el camión nos dijeron que iba haber refrigerios en el camino, y eran ¡puras sabritas! Cada vez que llegábamos a alguna central camionera, sacaban la charola con las papas y refrescos. En una de las paradas que hicimos para comer, había un restaurante de pollo frito, el cual estaba grasosísimo y nos dio encara a todos. Finalmente, aunque malcomidos, el día 25 de abril de 1998 llegamos a la ciudad de Chicago, donde nuestros familiares ya estaban esperándonos.

Y una cosa muy curiosa fue que desde el primer momento nos empezamos a dar cuenta de la diferencia en el costo de la vida entre México y Estados Unidos, porque mi hijo Humberto tenía mucha sed, y vio que vendían refrescos a un dólar, pa' pronto hizo cuentas de cuánto era eso en pesos mexicanos, y lo único que dijo fue: "¿Nueve pesos por un refresco? ¡Están locos!"

Al principio todo se me hacía muy caro, desde los alimentos hasta la renta, haciendo cuentas pagábamos como siete mil pesos, con eso podríamos rentar una casa grande en México. Y a la hora de ir al mercado, al principio quería comprar alitas de pollo para ahorrar dinero, pero luego me di cuenta que son más caras que el mismo pollo. Y, la verdad, todo fue cosa de ajustarme a mi nuevo ingreso, porque aunque la vida es más cara aquí, definitivamente se gana mejor y se vive mejor.

En un principio llegamos a vivir con mi hermana Tere, y de inmediato empezamos a buscar trabajo. Hasta eso, conseguimos trabajo rápidamente. Beto [su esposo] empezó a trabajar en una imprenta, Humberto, mi hijo, entró a la *high school* en su grado correspondiente, y lo más curioso del caso es que en México no le iba muy bien en las calificaciones y nada más entró aquí y empezó a sacar dieces o As, como les ponen aquí. Mi hija Yaxool y yo empezamos a trabajar en un asilo de viejitos enfermos mentales, y aunque me gustaba estar con ellos, el trabajo no era muy bueno, porque tenía que limpiar los vómitos de los viejitos y los baños. Tal vez hubiera podido conseguir un mejor trabajo, pero como no hablo inglés tuve que aceptar ir al asilo.

Llevo aquí más de dos años, y sigo dándome a entender con algunas palabras. Cuando me salí del asilo entré a trabajar a una imprenta, pero mi contrato sólo duró unos meses y no pude renovarlo. Así es que empecé a buscar trabajo en varias empresas pero en ninguna me contrataron porque no hablaba inglés y por la edad, en aquel entonces tenía 47 años. Mis hijos sí aprendieron el idioma muy rápido... seis o siete meses después, ya podían hablarlo perfectamente, y eso me da mucho gusto porque hablando otro idioma se les abren muchas puertas, sobre todo en México, si es que ellos quieren regresar a trabajar allá.

Después de ser rechazada en varias empresas por no hablar inglés, finalmente me contrataron en una recicladora de basura separando todas las cosas. Eso tiene sus beneficios porque seguido me encuentro billetes, cadenitas y relojes; de hecho, ya llevo como ocho relojes encontrados. Estoy muy contenta en este trabajo, la paga es buena y no se necesita saber el inglés.

Yaxool también se salió del asilo, y fue contratada en Rinawer, una compañía de ollas, allí empezó a ganar mejor, porque le pagaban un sueldo base más las comisiones de cada olla o producto que vendiera. Después se salió y entró a trabajar como cajera en Order Express [compañía de envíos de dinero a México], y actualmente está estudiando psicología y pintura.

Poco a poco nuestra situación financiera fue mejorando porque después Beto encontró un mejor trabajo en una panadería. Además de que mi hija, al mejorar su empleo e ingresos aportaba algún dinero para la manutención de la casa. Con mi hermana sólo vivimos dos meses, ya que después rentamos un apartamento y a los dos años de haber llegado compramos nuestra casa, que aunque es pequeña vivimos cómodos y en una situación financiera mejor que cuando estábamos en México.

Otra cosa que nos ayudó fue que fuimos a México hace como ocho meses para cerrar la venta de la casa y rematar nuestras últimas pertenencias, lo cual fue un ingreso extra que nos sirvió para dar el enganche del apartamento.

Estados Unidos ofrece muchas oportunidades, pero hay varias cosas que extraño de México, como la comida. Algo tienen los alimentos de acá que todo me sabe dulce. Si quiero hacer un pozole, primero es un relajo para conseguir los chiles y los ingredientes, y el maíz para pozole está muy dulce. Además de que las tortillas que venden en los supermercados están todas patoludas y feas. Siempre se me antojan unas buenas tortillas y unas enchiladas potosinas o un mole bien hecho. De hecho, cuando voy a visitar a mis familiares en México aprovecho para comer comida mexicana que no puedo encontrar fácilmente. Aquí hay lugares como Taco Bell, que dicen tener comida mexicana, pero son una farsa, porque no tienen nada que ver con la cocina de México. Hay lugares, como en la calle 27, donde está el barrio mexicano, allí sí se pueden encontrar cosas ricas, sólo que me queda muy retirado de la casa. Y, por supuesto, también extraño a mis parientes del otro lado.

Creo que los sacrificios que hicimos sí valieron la pena al venirnos a este país, sobre todo por las oportunidades que tenemos aquí y que en México no hubiéramos conseguido. Lo único que me preocupa es que la sociedad de aquí es muy distinta a la de México; todo es más rápido y hay valores que prácticamente no existen aquí. Los jóvenes son muy alocados, y mis hijos están expuestos a ello. Uno como quiera, que ya está grande, tiene conciencia sobre lo que está bien y lo que está mal, pero mis hijos pueden ser mal influenciados por la gente con la que tienen que convivir todos los días.

Tal vez regresemos a vivir permanentemente a México otra vez. Muchas veces lo he platicado con mi esposo, y la verdad es que extrañamos mucho a México, pero si volvemos, será cuando estemos ya jubilados a terminar nuestra vejez.

Y REGRESÉ[1]

Miguel Tarín López

Frente a mí tenía a un migrante, cincuenta años en su haber y dueño de su propia empresa. Su experiencia, transcrita en los siguientes párrafos, escapa de la tradicional perspectiva de las teorías que estudian el fenómeno migratorio por una sencilla razón: nuestro migrante no provenía de un estrato social bajo, por lo que su decisión de migrar no se limita a la tantas veces repetida necesidad económica; tampoco fue su familia la que lo alentó a migrar para, de esa manera, obtener una fuente de ingresos diferente de aquellas con las que ya contaban. El caso de nuestro entrevistado, el señor Víctor Manuel Torres, es entonces, diferente. Pero no es un caso aislado, único o excepcional, la migración de personas de clase media o alta se ha registrado de manera constante, aunque por lo peculiar de cada caso resulta difícil encontrar la razón que llevó a estas personas a migrar.

* * *

La primera vez que crucé la frontera hacia Estados Unidos debo haber tenido trece o catorce años. Al fallecer mi padre, mi mamá, como muchas otras personas, consideró la posibilidad de irse al otro lado para resolver las necesidades económicas que, evidentemente, se habían vuelto una prioridad al quedar viuda y con cinco hijos de dos a doce años. Esto la llevó a Matamoros, Tamaulipas, desde donde pretendía arreglar para irse a vivir a Estados Unidos. Solamente llegó hasta la frontera, y yo fui el último en integrarme a la familia porque me había quedado en un internado para cursar la primaria. Por ahí de 1962 o 1963 había un festejo internacional entre las ciudades de Matamoros y

[1] La entrevista fue grabada el 19 de octubre de 2000, en la ciudad de San Luis Potosí.

Brownsville: el *charro days* que aunque ahora pudiera parecer increíble, tenía como atractivo principal el puente libre; esto significaba que durante tres días las autoridades de migración norteamericanas permitían el paso a cualquier persona que quisiera hacerlo, mantenían un control muy aleatorio y era muy raro que le impidieran el paso a persona alguna.

Al ingresar a la secundaria tramité mi forma 13 [tarjeta de identidad para residentes en la zona fronteriza mexicana], que era el requisito para poder solicitar una *border crosser card* que, una vez que me fue concedida, me permitió cruzar la frontera cada vez que quise hacerlo, con dos limitaciones: primero, no podía ir más allá de 25 millas hacia el norte y, segundo, no podía aceptar empleo en los Estados Unidos.

Al terminar la secundaria regresé a San Luis para cursar la preparatoria en la Universidad Autónoma de San Luis Potosí y, al poco tiempo, el resto de la familia regresó también. Años después, en 1967, se me invitó a pasar vacaciones de verano con una tía, hermana de mi mamá, residente en Los Ángeles, California. Para ese entonces yo era estudiante de cuarto año de bachillerato en la universidad, y me pareció una muy buena idea aceptar esa invitación que, además, estaba dentro de mis posibilidades económicas. Siendo parte de una familia de clase media, en 1967 los ingresos regulares, si bien no eran altos convertidos a dólares, representaban una cantidad estimable, por lo que un pasaje vía terrestre de San Luis a Guadalajara y de ahí a Tijuana costaba alrededor de 150 pesos, y llevar el equivalente a unos 800 dólares representaba un gasto de mil pesos, lo cual estaba dentro de mis posibilidades. En mi condición de estudiante, hijo de familia, disponer de esa cantidad de dinero no representaba ningún problema, y si a eso le agregamos que no tendría que pagar por mi estancia, pues resultaba suficiente.

Era relativamente fácil obtener el permiso correspondiente al llegar a la frontera, primero porque ya tenía mi *border crosser card*; con esta tarjeta, mi credencial de estudiante y el hecho de que un familiar mío me formulara la invitación para ir de vacaciones se cubrieron los requisitos que me pidieron las autoridades del INS [migración norteamericana].

Me llamó la atención que el esposo de mi tía, quien había acudido a recogerme a Tijuana, en lugar de que hiciéramos el viaje de San Isidro a Los Ángeles en autobús, se había puesto de acuerdo con un "raitero" con el argumento de que viajar de esta forma era más barato y, además, nos iban a ir a dejar prácticamente hasta la casa. De esta manera viajé, acompañado de cinco personas más, con lo que se completó el cupo del carro.

Mi tía y su familia, compuesta de su esposo y dos hijos menores de aproximadamente tres y seis años de edad, vivían en una casa alquilada que estaba en la parte posterior de otra casa principal, propiedad de mexicanos residentes en Estados Unidos. Era una casa modesta de dos recámaras, sala, comedor, baño y cocina, por lo que me tocó dormir en el sofá. La casa estaba ubicada en el barrio mexicano, área aledaña a una avenida muy importante, la Whirier; no estoy seguro si se deletrea de esta manera, pero cualquier mexicano que haya ido a trabajar a Los Ángeles conoce esta zona porque era el corazón del barrio mexicano.

La primera semana mi tía me invitó a conocer algunos lugares y, de paso, para enseñarme cómo trasladarme en autobús a diferentes puntos de la ciudad, especialmente a donde se encontraba una cantidad importante de fábricas de diversos giros. La idea era que supiera dónde trabajaban algunos otros familiares y cómo se podían trasladar a esos lugares.

Ahorita que estamos reflexionando sobre lo que narro, caigo en cuenta de que había una maquinación en proceso tendiente a despertar mi interés para que me quedara ahí. Más o menos a la semana de estancia, el esposo de mi tía me pidió que lo acompañara a la Oficina de Correos porque me tenía una sorpresa. Cuando llegamos habló con el empleado que atendía al público y, señalándome, me pidió que me acercara porque ahí estaba la sorpresa: iba a firmar mi número del seguro social, el tío se había tomado la molestia de tramitarlo a mi nombre, por si se ofrecía. En ese entonces, la tarjeta del seguro social se podía obtener llenando una forma o aplicación pagando una pequeña cantidad de dinero, tal vez cinco dólares y, a vuelta de correo, ir a recogerla personalmente para firmar frente al empleado postal.

El fin de semana acudieron a casa de los tíos varios jóvenes, al parecer sobrinos por parte del tío, que trabajaban en Los Ángeles e iban a visitarlo llevándole algunos regalos y, por supuesto, varios sixes de cerveza y carne para asar. Era una convivencia muy regular, prácticamente de todos los fines de semana, en que los sobrinos acudían a reiterar su agradecimiento al tío que los había ayudado a irse pa'l otro lado y, además, les había conseguido el trabajo. Desde un principio me empezaron a platicar lo padre que era vivir y trabajar en Los Ángeles, que había muchas oportunidades y que si quería podían pasar por mí el lunes siguiente para ir a ver qué sale. Como yo no tenía ningún compromiso, ya me había aburrido de los viajes con la tía y había la posibilidad de ganar algún dinero en lugar de gastarme el que llevaba, acepté; y el lunes a las cinco de la mañana ya estaba yo levantado y, mientras tanto, mi tía me preparaba el lonche, porque habían quedado de pasar por mí antes de las seis de la mañana.

Llegó el carro prácticamente lleno de jóvenes de entre los cuales sólo el chofer, sobrino de mi tío, y otro más, que había estado en la casa el fin de semana, me resultaron conocidos; a los demás jamás los había visto. Durante el trayecto, uno de aquellos me comentó que íbamos a pasar por una *factory* donde siempre estaban contratando gente, que por lo pronto le hiciera la lucha ahí, y que si no conseguía nada, ya mi tía me había enseñado, casualmente, cómo regresar a casa.

Me bajé donde me indicaron y me encontré con un buen número de muchachos más o menos de mi edad y uno que otro ya señores; estábamos junto a una malla ciclónica de gran altura que daba a un patio de maniobras, donde se veían algunos vehículos, montacargas y botes de basura. Un poco antes de las siete de la mañana, desde dentro, se aproximaron tres individuos, uno negro muy alto y que parecía ser el jefe, y los otros dos de aspecto mexicano, que resultaron ser sus ayudantes, apareciendo éstos se formó un pequeño tumulto con todos los asistentes que deseábamos conseguir trabajo. Ignoro cuál era el proceso de selección, pero el negro señalaba con su dedo y sus ayudantes se encargaban de llamarnos; evidentemente, yo fui uno de los elegidos.

Entramos a la fábrica, que resultó ser de muebles tubulares, se llamaba Chrome Modern Chair Co.; nos entregaron unos uniformes azules de tela burda y nos indicaron dónde dejar nuestras cosas; por consejo de mis nuevos parientes, me dejé la ropa y encima me puse el uniforme. El negro resultó ser el mayordomo, y los otros dos sus ayudantes, uno de nacionalidad nicaragüense y el otro costarricense; el negro daba las órdenes en inglés y los ayudantes se encargaban de comunicarnos sus instrucciones en español. A mí me asignaron a recorrer diferentes departamentos con un carrito para carga pesada, que lo mismo servía para recoger botes de basura que piezas para ensamble. De los cuatro o cinco que ingresamos esa mañana, a tres de nosotros nos tocó una tarea similar, al otro u otros dos, que seguramente ya habían trabajado ahí, les encomendaron tareas más específicas.

Ese primer día fue para mí una experiencia sensacional; primero porque había sido de los elegidos para el trabajo, segundo porque entre mis compañeros de trabajo reconocí a uno que ya había visto antes, nada menos que en la televisión, era Tarzán, un luchador profesional que en sus ratos libres trabajaba de obrero. Lo reconocí no porque sea muy buen fisonomista ni mucho menos porque la televisión de entonces tuviera una gran resolución de imagen, simplemente por el tatuaje que tenía en la tetilla izquierda, consistente en dos rayas horizontales paralelas. Era originario de Monterrey y se iba por temporadas a Los Ángeles para completar el chivo; parece que la lucha libre no era muy bien pagada. Reconocerlo y ponerme a platicar con él fue cosa de nada, antes del *break* para lonchar me preguntó que si llevaba algo de comer, que si era así, se lo diera porque en los hornos de pintura acostumbraba calentar su comida, y que se daría una escapadita unos minutos para llevarla e ir al baño, que ahí lo cubriera por si venía el mayordomo, que con los ayudantes él se llevaba muy bien; en menos de dos minutos ya me había capacitado para trabajar en la máquina que estaba a su cargo, ésta era una dobladora de tubo que, de acuerdo a un aditamento móvil reemplazable, daba diferentes formas al material. No acababa de irse cuando pasó el nica, quien me vio haciendo el trabajo y, seguramente, le pareció que no lo hacía del todo mal, porque después del *break* me asignó a otra máquina aledaña a la de mi nuevo amigo; nueva satisfacción que desde el primer día me asignaron un trabajo de responsabilidad.

Con todo eso, concluyó mi primer día de trabajo y había aprendido varias cosas: que nuestros efectos personales nunca se dejan fuera de nuestro alcance, a menos que tengamos un *locker* asignado y, por supuesto, con candado propio; que el Borax es un polvo que disuelve la grasa y que, si no quieres traer las manos negras, debes usarlo; que el mayordomo era el jefe y que por encima de él sólo estaba alguno de los dos patrones; que los ayudantes del mayordomo podían ser nuestros amigos mientras nos portáramos bien y no causáramos problemas, y que con ellos había que estar bien porque eran los primeros que podían favorecerte o perjudicarte; que en esa fábrica pagaban el salario mínimo, pero que podíamos trabajar cuatro horas el sábado para obtener más dinero, *overtime* pagadero a tiempo y medio, esto es, que las cuatro horas nos las pagaban como si fueran seis.

Como no pasaron por mí, a eso de las cinco de la tarde tomé un autobús hacia el centro, y de ahí, mediante un *token* de *transfer*, abordé otro por un mínimo precio. Estaba pasando por alto que la semana anterior también se me había instruido para hablar inglés suficiente para cubrir mis necesidades más elementales: *I gonna job; give me transfer; speak Spanish?; I speak little English*, etcétera.

Afortunadamente para mí, la terminal de los autobuses quedaba justo atrás de la casa de mis tíos. Debo mencionar que el servicio de autobuses funciona cronométricamente y que el chofer del autobús de las 7:02 es invariablemente el mismo todos los días, incluso los pasajeros suelen ser los mismos.

Al llegar a casa, ya me esperaban los tíos para que les contara cómo me había ido, si había conseguido trabajo y cuánto me iban a pagar; también me instruyeron para que supiera manejar mi presupuesto, cuánto dinero debía reservar para pagar el raite, cuánto para comprar mi comida y se estimaría de buen grado algún pequeño aporte para la casa.

Los siguientes días fueron de seguir una rutina más o menos parecida: madrugar, esperar el *ride*, llegar diez minutos antes al trabajo, estar listo para empezar en punto de la hora a trabajar, aprovechar los dos descansos de diez minutos para hacer amigos y contar y escuchar la vida de unos y de otros, comer con los amigos, llevar cambio suficiente para comprar en aquella abigarrada camioneta llena de todo tipo de golosinas, comida rápida, bebidas, etcétera, y contemplar la destreza con que el dueño de la camioneta manejaba el artefacto portamonedas que, mediante un movimiento de dedos, suministra las monedas necesarias de las diferentes denominaciones para dar el cambio exacto al cliente, conocer a los trabajadores de otros departamentos e irnos identificando para que, dado el caso, nos ayudáramos o, al menos, pudiéramos avisar a los amigos o a la familia si había problemas; observar maravillado la rutinaria vestimenta del *shorty*, quien era un muchacho mexicano, del D.F., que trabajaba en el mismo departamento que yo y que, al salir de la empresa, invariablemente iba ataviado de traje y corbata, como cualquier empleado de banco. Cuando entramos en confianza, le pregunté por qué vestía de esa manera, y me contestó que era su seguro antimigra.

Me tocó ver una redada del *border patrol*, una tarde al salir del trabajo; llegaron sorpresivamente y al que pudieron detener lo subieron rápidamente a las camionetas y se los llevaron sin que supiéramos quiénes, por la sorpresa, ni hacia dónde, excepto al *shorty*, que por su vestimenta no despertó el interés de los agentes. Los que me conocen, saben que tengo un tipo más o menos universal, no me delato fácilmente como mexicano, desde el punto de vista del que observa el estereotipo, esto es, alguien de aspecto descuidado, morenito, con barba de varios días, vestido con ropas de colores chillantes, mascando chicle y, como dicen por ahí, con el nopal en la frente; mi aspecto urbano de clase media y más o menos bien vestido me permitió pasar sin problemas en las razzias de migración. En esa época las demás autoridades se desentendían por completo del problema de los ilegales.

Unas semanas después llegó mi hermana mayor, quien se había separado de su marido y venía embarazada. Los tíos le sugirieron que hiciera el viaje con suficiente antelación para que su criatura pudiera nacer en Estados Unidos, de esta manera, ella podría aplicar para residir en ese país, donde se vivía tan bien y se ganaban hartos dólares. Mi hermana no fue advertida de que, mientras ocurriera el feliz advenimiento, tendría que compensar la generosidad familiar haciendo servicios domésticos y, además, al nacer el niño, los tíos podrían solicitar al *welfare* el pago correspondiente por atender en su casa a una madre soltera con un bebé. Aún me encontraba en Los Ángeles cuando nació mi sobrina en el Hospital General del Condado, por supuesto, con cargo a la partida que tienen para indigentes; sin embargo, como había ocasionado algunos gastos durante su estancia, no bien pasó la cuarentena, cuando tuvo que buscar un empleo para liquidar lo que le debía a los tíos. Obviamente, a mí también me costó corresponder a la bondad familiar.

A la vuelta de un par de meses, ya estaba yo muy bien ubicado, al grado que uno de los dueños mostró cierta simpatía hacia mí y, por conducto de mi ahora amigo el nica, me comunicó que le gustaría que permaneciera trabajando con ellos y que él se comprometía a arreglarme mis papeles. Esta clase de oferta es probable que sea realizada de buena fe, pero no tienes ninguna seguridad de que realmente se vaya a cumplir, por lo que le contesté que lo iba a pensar. Me aumentaron el sueldo y me permitieron trabajar más horas extras, incluso, el sábado me pidieron que trabajara en las salas de exhibición acomodando muebles, limpiándolos, o simplemente pasando la aspiradora. Yo siento que efectivamente se me privilegió y, de alguna forma, creo que era genuino el interés de que continuara trabajando en esa empresa. Un viernes, al salir, me invitó Tarzán a comernos unos tacos por la plaza Olvera; nos fuimos platicando y le comenté la oferta que me habían hecho. Me dijo que estaba bien, que seguramente la cumplirían, pero al mismo tiempo me comentó que él sí era una persona para andar en esas danzas, pero que si yo estaba estudiando, él consideraba mejor que me regresara a México porque le resultaba claro que eso no era para mí.

Siguiendo el consejo de mi amigo, le comenté a mis tíos que seguramente me regresaría a San Luis para continuar estudiando; ellos me dijeron que yo no estaba viendo bien las cosas, que muchos otros hubieran querido estar en mi lugar, que esas oportunidades no se presentaban tan fácilmente, que en todo caso me quedara por lo menos una temporada para calarme, que no valoraba lo que hacían por mí y que, por último, si de plano me encaprichaba en regresar, que por lo menos le dejara firmada la forma del *income tax* para al menos recuperar algo de lo que me habían invertido, al fin y al cabo yo ya no iba a estar, y era preferible que, en lugar de que se perdiera el dinero que me correspondería por la devolución de impuestos, ellos lo aprovecharan.

Durante mi estancia procuré también practicar el turismo, los fines de semana tomaba un autobús a cualquier lado y donde me gustaba, me bajaba para pasear, ir al cine, de compras, etcétera. Después del primer fin de semana que comenté, procuraba no quedarme en casa, y en una ocasión mis nuevos primos me invitaron a una fiesta en la que conocí un grupo más o menos numeroso de muchachos y muchachas que ya llevaban buen tiempo radicando en Estados Unidos. Siento que les daba pena hablar español, porque la mayoría provenía de estratos sociales bajos, con poca instrucción formal, si acaso primaria, y a mí me veían como alguien ajeno totalmente a ellos. Había cerveza en abundancia, algunas bebidas fuertes y poca comida; como a eso de las diez de la noche pasó el tío a recogerme y a advertirme que no era bueno que yo me reuniera con esas gentes porque tenían costumbres que no me convenían; lamentablemente nunca supe cuáles eran éstas, porque no tuve oportunidad de presenciarlas.

Tomé la decisión de regresar, y aunque llegaría dos o tres semanas después de iniciadas las clases, estaba seguro que hacía lo correcto. En el trabajo les dije con una semana de anticipación para que pudieran reemplazarme, y a los tíos se los comuniqué hasta que tuve el boleto de autobús en mi mano.

Después de las reiteradas recriminaciones por mi ingratitud, me pidieron que al menos me trajera algunos encargos para la familia del tío que me irían a esperar a Guadalajara. También me presentaron a otro primo que casualmente viajaría de regreso en la misma fecha que yo; de esta forma no tuve que regresar solo, y nos acompañamos para pasar no sólo la frontera sino todas las revisiones acostumbradas. Llegando a Tijuana la cuota era de diez dólares por bulto o maleta, en Sonoíta, Sonora, la cuota era de trescientos dólares por autobús que debía recolectar el propio chofer. Al llegar a Guadalajara, el primo que se las sabía de todas todas, no me dejó salir por el andén, en la forma habitual, sino que se dirigió hacia el lado contrario, esto es, hacia donde llegaban los autobuses, allá afuera estaban varios taxis, en donde abordó uno y me recomendó que entrara a la central de autobuses por el acceso principal para comprar mi boleto en una corrida local a San Luis. Mientras esperaba la salida del camión, llegaron los familiares del tío y me aligeraron el equipaje, de tal manera que ya no tuve ningún problema para llegar a San Luis.

Tal vez para mí no fue tan atractivo quedarme en Estados Unidos, aunque no dejaba de sentir cierta envidia por mis amigos que, viviendo en Matamoros, trabajaban en Brownsville, Texas, ganaban dólares y podían traer carro americano; quizá porque me había tocado vivir en la frontera y estaba acostumbrado a pasar al otro lado cualquier día y a cualquier hora; sin embargo, yo tenía otras metas y, paradójicamente, mi primer empleo después de concluir mi carrera profesional me permitió retornar a Estados Unidos a trabajar en una oficina consular mexicana en McAllen, Texas, a sólo cincuenta millas de Brownsville, nada más que ahora portaba una visa A-1 [diplomática].

BIBLIOGRAFÍA

ACEVES, Jorge (compilador), *Historia oral*, México, Instituto Mora, 1993.

—, *Historia oral e historias de vida*, México, CIESAS, 1996.

ALBA, Francisco, "La migración mexicana a Estados Unidos, un rompecabezas difícil de armar", *Este país*, miércoles 1 de diciembre de 1999, México.

BURGOS, Martine, "Historias de vida. Narrativa y la búsqueda del yo", en Jorge Aceves (compilador), *Historia oral*, México, Instituto Mora, 1993.

DURAND, Jorge, "Un punto de partida. Los trabajos de Paul S. Taylor sobre la migración mexicana a Estados Unidos", *Frontera Norte*, vol. 12, número 23, enero-junio, 2000, pp. 51-64.

—, *Política, modelo y patrón migratorios. El trabajo y los trabajadores mexicanos en Estados Unidos*, San Luis Potosí, El Colegio de San Luis, 1998.

—, *Más allá de la línea. Patrones migratorios entre México y Estados Unidos*, México, Consejo Nacional para la Cultura y las Artes, 1994.

—, Douglas S. Massey y Emilio A. Parrado, *The New Era of Mexican Migration to the United States*, The Journal of American History, septiembre-1999.

GAMIO, Manuel, *El immigrante mexicano. La historia de su vida*, México, UNAM, 1969.

MORIN, Françoise, "Praxis antropológica e historia de vida", en Jorge Aceves (compilador), *Historia oral*, México, Instituto Mora, 1993.

RUIZ MARRUJO, Olivia, "A Tijuana: las visitas transfronterizas como estrategias femeninas de reproducción social", en Soledad González Montes *et al.*, *Mujeres, migración y maquila en la frontera norte*, México, El Colegio de México-El Colegio de la Frontera Norte, 1995.

VELASCO ORTIZ, Laura, "Migración femenina y estrategias de sobrevivencia de la unidad doméstica: un caso de estudio de mujeres mixtecas en Tijuana", en Soledad González Montes *et al.*, *Mujeres, migración y maquila en la frontera norte*, México, El Colegio de México-El Colegio de la Frontera Norte, 1995.

WOO MORALES, Ofelia, "Las mujeres mexicanas indocumentadas en la migración internacional y la movilidad transfronteriza", en Soledad González Montes *et al.*, *Mujeres, migración y maquila en la frontera norte*, México, El Colegio de México-El Colegio de la Frontera Norte, 1995.

Rostros y rastros. Entrevistas a trabajadores migrantes en Estados Unidos, se terminó de imprimir en octubre de 2002 en los talleres de Formación Gráfica, S.A. de C.V. El cuidado editorial estuvo a cargo de Adriana del Río Koerber y David Arrevillaga. El tiraje consta de 1 000 ejemplares.